メカニズム
で学ぶ
中国語の発音

松本洋子 著

前書き

　私は現代中国語（"普通话"）を学習して40余年、教えて30年ほどになります。

　元々その音声の美しさに惹かれて学習を始めたので、発音には力を注いできたつもりですが、学ぶことはまだたくさんあり、現在でも新しい気づきがあります。

　特に発音教授については、日本語を母語とする中国語学習者（以下、日本人学習者）に弱点をいかに克服してもらうかについて、研究してきました。中国語は日本語と違い

1）音の高低差が大きい
2）声調がある
3）呼気[1] が強い
4）「子音＋母音」という構造において、子音が重い
5）母音の種類が多く、日本語にはない母音がある
6）声門閉鎖[2] が多い
7）咽頭に力が入っている

[1]
呼気：吐く息のこと。

[2]
声門閉鎖：声門を閉じて声門下からの呼気を押さえること。

などが原因で、全体的に硬い、重い感じがします。

　たとえて言えば、中国語の音声は「漢字」で、日本語の音声は「ひらがな・カタカナ」です。強さとメリハリのある美しい中国語の発音をいかに獲得するか、そしてそれをどう指導するかは私の長年の課題でしたし、今もそうです。国内外で発音指導の教材は多数ありますが、日本人学習者の実際の発音を耳にすると、その指導が成功しているとは言い難いというのが私の印象です。原因の一つは、具体的にどう発音するかを説明している教材が少ないことです。中国人ネイティブの先生方の中には最初から「日本人が正確な中国語の発音を獲得するのは不可能」と考えていらっしゃる方もおいでの

様です。しかし、少数ではあってもほぼ正確な発音を獲得した日本人学習者はいるので、私は一概にそう言えないと思いますし、指導方法を工夫すれば日本人学習者の発音のレベルを上げることはできるのではないかと考えます。

　この教科書では、音声学的な説明も含め、中国語の発音をできるだけ具体的に説明することを心がけました。初めて中国語の発音を学ぶ人はもちろん、すでに学んでいるけれどなかなか習得できない人が読んで少しでも上達することが、この本の目的です。もちろんまだ説明し切れていないこともたくさんあるはずですが、これまでの私の研究が、学習者や教師の方々の参考になるところがあれば、大変うれしく思います。

　この教科書では、具体的な説明の他、要素ごとの学習方法を考え、ドリルを作りました。これまで私自身が授業で使ってきたものとほぼ同様のものです。子供や音感の鋭い人は、未知の外国語の音声を聞いてすぐにその特徴を正確に捉えて再現できますが、成人や音感がさほど鋭くない人はしばしばそれができません。また、人は誰しもトリプルタスク[3]よりはダブルタスク[3]、ダブルタスクよりはシングルタスク[3]の方が取り組みやすいでしょう。

　そこで、私は、最初中国語の各要素を個別に練習し、後でそれを組み合わせて次第に本物の中国語の音声に近づけていくという方法を採りました。たとえば声調は、最初日本語マーで導入します。日本語というだけで、学習者の心理的負担は軽減し、音声をコントロールするエネルギーはかなりの割合で声調の発出に注がれる結果、いきなり中国語で行なう

[3]
トリプルタスク、ダブルタスク、シングルタスク：同時に取り組まなければならない作業が3種類あるのをトリプルタスク、2種類あるのをダブルタスク、1種類だけのものをシングルタスクという。

より、学習者の脳に4種の声調の原型がしっかりと植え付けられるのではないかと考えたからです。

　これまでのところ、私の授業でこの方法は奏功していると思いますが、一般の声調指導にかける時間より長くかかることは確かです。しかし、短時間学習で後々声調に問題が残り、高いレベルに行けないより、最初のうち少し時間をよけいにかけてもしっかりした基礎を作り、後々の学習が順調に進んで、最終的にはより大きな成果を手にできるのとどちらが良いでしょうか。大学での授業のように限られた時間内に決められた内容や教科書を終了させなくてはならない場合、授業時間内にそうした指導をする時間がないのは当然ですが、個々の学習者が自分の自由時間に自分で発音の学習を行ない、授業時に教師が短時間でそれをチェックすることは可能ではないでしょうか。

　発音は、たとえて言えば料理を盛る器です。びっくりするほどおいしい料理でも、盛ってある器が汚れていたり、欠けていたりしたら、食べてみようという気持ちが萎えませんか。中国語の正しい発音を習得して、どんどん中国語で会話をしてください。「発音が正しくなくても通じれば良い」と考える人が一定数いるのは事実です。しかし、相手がそうした正しくない発音に慣れていない場合、相手はそれを聞いて脳内で正しい音に変換しながら意味を捉えるので、内容をつかむことに割くエネルギーがその分減ってしまいます。ひどい時には発音の不正確さに気持ちが集中して、内容が頭に入らないことすらあるのです。せっかくすばらしい発想や意見を発表しているにも関わらず、最初の関門、すなわち発音で多大なエネルギーを相手に使わせてしまうことは大変な損失

です。ぜひとも正しい、美しい発音でスイスイと関門を通り、内容に耳を傾けてもらえるようにしてください。

　この本では、発音の基本中の基本、すなわち「声調の発し方」、「声調の聞き取り」、「母音の発し方」、「子音の発し方」、「子音・母音・声調の組み合わせ」の順で学ぶようにしてあり、さらには「アル化」、「変調」も学習します。最後に一般的にはあまり取り上げられない「音節同士のつながり」における適切・不適切な連続も紹介しています。一度に全部学ぶ必要はないですが、少しずつ学習を進めて、ドリル音声をききながら自分で声を出して練習してくださるよう、お願いします。

　これは私が長年続けている私独自のメソッドです。それだけに私の考え違いや間違った記述があるかもしれません。今後さらに研究して正しいものに到達したいと思っていますので、不明な点や誤りがある場合はお知らせください。ご感想などもお寄せいただければ幸いです。

　出版のためのチェックでは、日中学院の粟田厚司先生、同じく小澤光恵先生、島根県立大学の丁雷先生に大変お世話になりました。また編集では好文出版の竹内路子女史に非常にお世話になりました。この場を借りて心よりお礼を申し上げます。

2020年 秋

著者 松本洋子

目　次

コラム／36
中国語の音節末尾音 -n -ng
と日本語音読み末尾ンと
ウ・イの関係

〈巻末〉音節表

ドリル	音声No.
1	2
2	4
3	5
4	6,7
5	
6	13,14,15
7	16
8	18,19,20
9	23
10	25
11	28
12	31
13	32
14	33
15	34
16	
17	
18	
19	
20	
21	35
22	36
23	37
24	43
25	
26	45
27	46
28	48
29	49
30	50
31	51
32	52
33	53
34	54
35	55
36	56
37	57
38	58
39	59
40	60
41	61
42	62
43	63
44	64,65,66
45	67
46	68,69,70
47	71
48	72
49	73
50	75

ドリル	音声No.
51	76
52	77
53	78
54	79
55	80
56	81
57	82
58	83
59	84
60	86
61	87
62	88
63	89
64	90
65	91
66	92
67	93
68	94
69	95
70	96
71	97
72	98
73	99
74	100
75	101
76	102
77	103
78	104
79	105
80	106
81	107
82	108
83	109
84	110
85	111
86	112
87	113
88	115
89	116
90	117
91	118
92	119
93	120
94	121
95	122
96	123
97	129
98	130
99	131
100	132

ドリル	音声No.
101	133
102	134
103	135
104	136
105	137
106	138
107	139
108	140
109	141
110	142
111	143
112	144
113	145
114	146
115	147
116	148
117	149
118	150
119	151
120	152
121	153
122	154
123	155
124	156
125	157
126	158
127	159
128	160
129	161
130	162
131	163
132	164
133	165

例	音声No.
1	1
2	3
3	8
4	9
5	10
6	11
7	12
8	17
9	21
10	22
11	24
12	26
13	27
14	29
15	30
16	38
17	39
18	40
19	41
20	42
21	44
22	47
23	74
24	85
25	114
26	124
27	125
28	126
29	127
30	128
31	166
32	167
33	168
34	169
35	170
36	171
37	172
38	173
39	174
40	175
41	176
42	177

表・図ページ対応表

メカニズム
で学ぶ
中国語の発音

アルファベットと音節

　現代中国語では、漢字の他、アルファベットも正式な文字として使用されます。このアルファベットを"拼音字母（ピンインツームー、略してピンイン）"と呼びます。ピンインは発音記号ではなく、日本語におけるひらがな・カタカナのようなものです。アルファベットだからといって英語と全く同じ読み方ではありませんが、ルールを覚えれば読み方が大体分かります。

　巻末の横長の音節表をご覧ください。現代中国語の音声の最小の一かたまり、すなわち音節がこの小さな四角の中にピンイン（たとえば ba）で表されています。多くはこれに声調（4種類の固有の調子）がついて発音されます（たとえば bā）。1音節中の文字数が一つ（たとえば a）であっても六つ（たとえば shuang）であっても声調が付いていれば、時間長はほぼ同じと考えてください。音節は400余りあります。

　まず**例1**の4題（1音節、2音節、3音節、4音節）を聞いて音節数を確認してから、**ドリル1**の中国語が何音節かを聞き取ってください。答えは2秒後に日本語で言います。

【例1】 🔊 01
　　1音節
　　2音節
　　3音節
　　4音節

▼ ドリル1 🔊 02

1)　　　　　　　　　2)　　　　　　　　　3)

4)　　　　　　　　　5)　　　　　　　　　6)

7)　　　　　　　　　8)　　　　　　　　　9)

10)

　各音節は第1声（高平調）、第2声（上昇調）、第3声（低平調）、第4声（下降調）という4種類の調子を持ち、これを声調または四声と呼びます。まず**例2**の声調を聞いてください。（これ以降は、「第」を取って、1声、2声、3声、4声と呼ぶことにします。）

【例2】 🔊 03

　　1声〇〇〇〇　　2声〇〇〇〇　　3声（半3声）〇〇〇〇　　4声〇〇〇〇

　次の［**表1**］で各声調の符号と模式図を下に示します。声調符号は母音の上に付けます。

　左端の１２３４５は音程を表す調値といいます。3が音程の真ん中です。1声は55、2声は35か24、半3声は（2）11、4声は51と表されますが、前後の環境により多少ゆれます。

声調の種類	1声 高平調	2声 上昇調	3声 低平調	4声 下降調
符号	**bī**	**qún**	**ǎ**	**zhòng**
模式図	5 4 3 音程の真ん中 ---------- 2 1			

［表1］

　1、2、4声は符号と模式図が対応しているのに、3声はそうでないことに気づきましたか。3声は符号と異なり低平調です。元々は、やや低いところから始めてさらに下がって平らに続け、後半上がる調子でした（全3声という）（**図1**参照）。

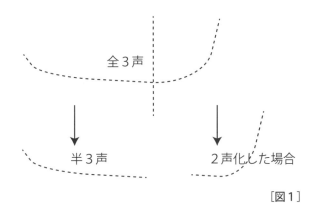

全3声

半3声　　　　2声化した場合

［図1］

　しかし長年の間に変化し、通常は低くて平らな調子（半3声という）になりました。縦線の左側部分です。符号につられて後半で力を抜くと音程が上昇してしまいます。そうならないよう特に後半を低く抑えて平らに発音するよう気をつけてください。気分としては <u>a</u> です。単独の時や切れ目の前などでは後半が上昇して全3声になることがありますが、ほとんどの場合「低平調」です。また、3声が二つ以上重なった時は、前の3声は2声になります。本来の全3声の右側の上昇部分のみ出現したと考えられます。

　声調の練習をする前に、下の❖注意点を読んでください。その後**ドリル2**に進み、**表1**模式図を見ながら音声のまねをして、日本語マーで各声調を発音してみましょう。

❖　注意点

1）中国語の場合、高音と低音の差は日本語（標準語）より大きいので、中国語の1声、2声の最後と4声の先頭は**努力して高く**、そして3声は**努力して低く**発するようにしてください。（音程は絶対的なものではなく相対的なものです。音域は一人一人異なりますし、同一人であってもさまざまな影響で音程は変わってきます。）

2）線の太さは声の強さを表しています。1声、2声、3声は、**最初軽く始め、後方に行くほど強く**発し、4声は最初を強く発します。

3）また、2声の場合、先頭（細線部分）を少し高めにして軽く声を出し、最終部分の音程を自分の頭の中で想定し、そこを目がけて素早く音程を上げ、最終の高さ（太線部分）で強く声を出します。4声の場合はその反対で、最初の部分を強い声で出し、目標の低い音程目がけてすばやく声を移動させ、後に行くほど軽くなります。2声も4声も、最初と最後の部分で留まる感じです。

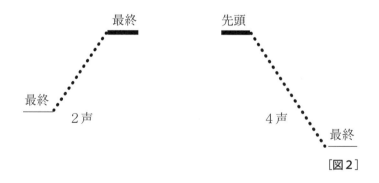

[図2]

では**ドリル2**をやってみましょう。音声の後、すぐに発音してください。

ドリル2　🔊 04

　mā　　　má　　　mǎ（半3声）　　　mà

単音節声調の聞き取り

1）今度は声調を聞き取って符号で書いてみましょう。解答は各問いの後に音声で提示します。

ドリル3 🔊 **05**

1）	2）	3）	4）	5）	6）

7）	8）	9）	10)	11)	12)

2）次に3音節中の第2音節の声調を聞き取って符号で書いてみましょう。

　まず音節の境を捉えることが重要です。音節の境界は一瞬の間であり、第1音節の最後と第2音節の先頭に挟まれています。まずその第2音節の先頭の音程が高めか低めかを判断します。もし高めなら1声か4声と限定できます。その後、音程がほぼ変わらず高いままなら1声、その後動けば（下降すれば）4声です。もし第2音節の先頭が低めなら2声か3声と限定できます。その後音程が動かなければ（低いままなら）3声、動けば（上昇すれば）2声です。

　Aレベルは易しいので、スイスイできたら途中で切り上げBレベルに行っても構いません。

　解答は各問いの後に音声で提示します。

ドリル4
Aレベル 🔊 **06**

1）	2）	3）	4）	5）

6）	7）	8）	9）	10)

11)	12)	13)	14)	15)

Bレベル 🔊 **07**

1）	2）	3）	4）	5）

6）	7）	8）	9）	10)

11)	12)	13)	14)	15)

多音節声調の発音練習

　図3は中国語の詩「鸛（カン）雀楼に登る」（王之渙作）を声調符号で表したものです。これに日本語「マー」を当てはめて、多音節声調の発音練習をしてみましょう。まず❖注意点を読んでください。

❖　**注意点**

1）線の太さは力の入れ具合を表しています。細いところは軽く、太いところは強く発音しましょう。

2）3声は符号の形につられないよう、下のカッコ内に実際の「低平調」を示してあります。

3）最初、音節の頭は「高」か「低」の2種の音程でよいですが、慣れてきたら2声の頭は中間の高さで発するようにしましょう。但し、2句目「3声＋2声」の部分では2声は直前の3声の終わりに合わせ低く発します。

4）＊＊＊＊部分は、学習者がよくまちがえる箇所です。慎重にお願いします。

　ドリル5

　課題1 ▶【例3】 🔊 08

　　図3を見ながら例3の音声を聞いた後、自分で「マー」で発音してみてください。できるようになったら、暗記してください。できるまで何回でも聞いて、練習してみてください。

　課題2 ▶【例4】 🔊 09

　　各句を「マーミーマーミーマー」で発します。一度例4の音声を聞いてください。次に自分でも練習します。図は見ても良いですが、文字列を見てはいけません。

　課題3 ▶【例5】 🔊 10

　　全部を「マーミー」でつないで発します。一度例5の音声を聞いてから、自分でも練習してください。第1・3句は課題2と同様になり、第2・4句は逆になるはずです。書いたものを見てはいけません。

　課題4 ▶【例6】 🔊 11

　　全部を「マーミームー」でつないで発します。一度例6の音声を聞いてから、自分でも練習して下さい。これも文字列を書き込んだりしてはいけません。最後は「ミー」で終わります。

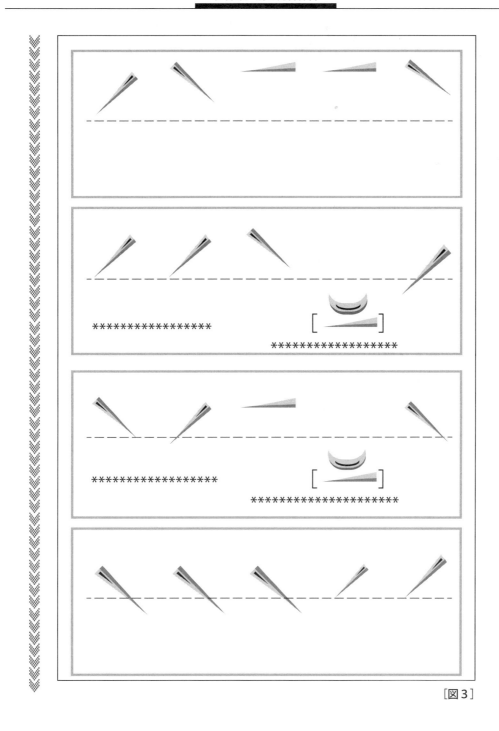

[図3]

課題1がきちんとできていると後の課題が楽になります。次の学習に進んでも、この課題を5日間くらい毎日最低1セット大きな声でゆっくり1音1音重みをつけて朗唱・暗唱してください。

2音節声調の聞き取り

今度は2音節を聞いて声調を聞き取りましょう。まず**例7**を聞いてください。中国語音声の後すぐ日本語で声調をいいます。

【例7】 🔊 12
    1）   2）   3）   4）   5）

自分で2音節を聞いて、二つの声調を符号で書きとってください。2秒後に音声で正解を言いますから照合しましょう。もしBレベル、Cレベルに進んで、聞き取りが難しかったり、誤答したりしたら、声調だけを頭の中で「マー」で置き換えてみてください。きっと聞き取れるようになります。「マー変換」で聞き取れるようになったら、次に変換しないで聞き取ってみてください。

ドリル6
A レベル 🔊 13

1）	2）	3）
4）	5）	6）
7）	8）	9）
10）	11）	12）
13）	14）	15）
16）	17）	18）
19）	20）	21）
22）	23）	24）
25）	26）	27）
28）	29）	30）

B レベル 🔊 14

1)	2)	3)
4)	5)	6)
7)	8)	9)
10)	11)	12)
13)	14)	15)
16)	17)	18)
19)	20)	21)
22)	23)	24)
25)	26)	27)
28)	29)	30)

C レベル 🔊 15

1）	2）	3）
4）	5）	6）
7）	8）	9）
10）	11）	12）
13）	14）	15）
16）	17）	18）
19）	20）	21）
22）	23）	24）
25）	26）	27）
28）	29）	30）

··

　Ａレベルでは音節構造が単純なもの、母音も日本語と似ているものを選んであります。一方、Ｂレベルでは音節構造がやや複雑になり母音も日本語にないものが含まれています。Ｃレベルの音節構造は最も複雑で、聞きなれない子音も出てくるので、大変聞き取りにくいと思います。声調以外の要素に惑わされずに、正確に声調を聞き取ってください。

　中国語の1音節（漢字1字分の音）は基本的に少なくとも一つの声調を持ちますが、本来の声調を失い、軽く短くなることもあります。この軽く短くなった調子を「軽声」と呼びます。軽声は基本的に声調を伴った音節の後に付きます。模式図で各種組み合わせの基本を示します。

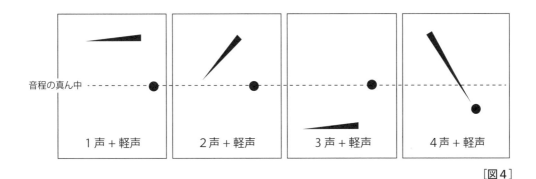

[図4]

　4声の後の軽声は全体的に下降するように付きます。残りの3種類の組み合わせでは、軽声直前の音程が高いと軽声はそれより低く、直前の音程が低いとそれより高く付きます。つまり相対的な位置に付くということです。例外もあり、"什么 shénme（何）"は習慣的に全体として2声のように発音します。

○軽声を含む音節の発音練習

　図4を見ながらドリル7の音声をまねて4種類の「マーマ」を発音してみましょう。

　ドリル7　🔊 16

māma　　　máma　　　mǎma　　　màma

○軽声を含む音の声調聞き取り

軽声を含む音の声調聞き取りをしてみましょう。次の**例8**は第2音節が軽声ですから、直前の第1音節が第何声か聞いてみてください。解答は直後に音声で出ます。納得するまで何回も聞いてください。

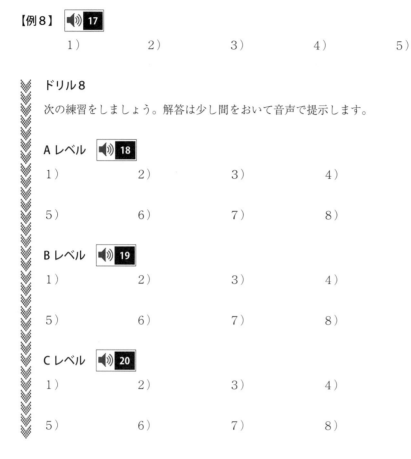

【例8】 🔊 17
　　　1)　　　　　2)　　　　　3)　　　　　4)　　　　　5)

ドリル8

次の練習をしましょう。解答は少し間をおいて音声で提示します。

A レベル 🔊 18
1)　　　　　2)　　　　　3)　　　　　4)

5)　　　　　6)　　　　　7)　　　　　8)

B レベル 🔊 19
1)　　　　　2)　　　　　3)　　　　　4)

5)　　　　　6)　　　　　7)　　　　　8)

C レベル 🔊 20
1)　　　　　2)　　　　　3)　　　　　4)

5)　　　　　6)　　　　　7)　　　　　8)

主な音声器官

母音と子音を学習する前に、主な音声器官を簡単に学習しておきましょう。

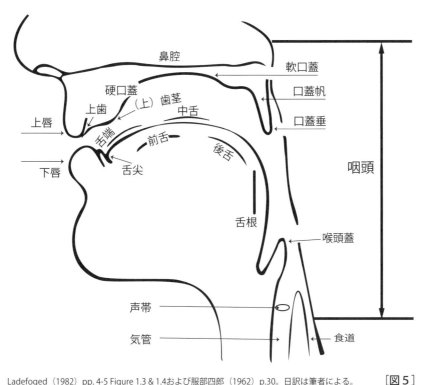

Ladefoged（1982）pp. 4-5 Figure 1.3 & 1.4および服部四郎（1962）p.30。日訳は筆者による。　　[図5]

（上）歯茎…上歯の根で、丸く突起している部分
硬口蓋…歯茎に続くドーム状の部分。骨があるので硬い。
軟口蓋…硬口蓋に続く、骨がないドーム状の部分。最奥部は特に動きやすく口蓋帆と呼ばれる。
口蓋垂…口蓋帆の中央から垂れ下がっている細長い筋肉で、「のどひこ」とも呼ばれる。
舌尖…舌の最先端の部分
舌端…舌が休み状態の時、大体上の前歯の歯茎に対している部分
前舌…舌が休み状態の時、硬口蓋に対している部分
後舌…舌が休み状態の時、軟口蓋に対している部分
中舌…前舌と後舌の中間の部分

　巻末の音節表はこれまでのものに**音声学的な考慮を加え、実際の音と矛盾が少ないよう、そして学習し易いように**配列してあります。上の数字1、2、3、4は1群〜4群という群の呼称です（以下1群、2群、3群、4群と呼びます）。

◆**縦1列には音節の初めに来る子音が並んでいます。上から**
　1〜4：b p m f …… 唇を使って発音する音（fは上歯と下唇）
　5〜8：d t n l ……舌端と上歯裏〜上歯茎を使って発音する音
　9〜11：z c s ……舌端〜前舌と上歯裏〜上歯茎を使って発音する音
　12〜15：zh ch sh r ……舌のへりと上顎、時には頬内側を使って発音する音（そり舌音といいます）
　16〜18：j q x ……前舌〜中舌と上歯茎〜硬口蓋を使って発音する音
　19〜21：g k h ……後舌と軟口蓋を使って発音する音
　22と23：w y　は半子音（半母音ともいう）です。

◆**横1列には母音の組み合わせが並んでいます。**
○2群は最初の母音としてiを持つ音節を集めてあります。（1群の -i は別種）
○3群は最初の母音としてuを持つ音節を集めてあります。重要母音の一つです。
○4群は最初の母音としてü（ウムラウト[注1]）を持つ音節を集めてあります。4群にある母音がuと表記してあっても発音はウムラウトですから注意してください。（üとuの両方と結合する子音はlとnだけで、それ以外 j　q　x　y の後ろにつくuはすべてウムラウトなので、ポチポチをつける必要がないのです。）水色で囲んである音節はすべてこのウムラウトを含みます。2群右端の三つの音節 jiong qiong xiong もウムラウトを含みますが、後ほど説明します。
○1群は残りの音節を集めてあります。
○1群中、黄色をつけてある音節中のeはすべて重要母音のe音です。それ以外1〜4群の黄色がついていないe（たとえば2群4列目 bie のe）は日本語のエでいいです。
○1群中、オレンジ色がついている音節 zi ci si の母音 -i は、口角を横に引き「ウー」と発音する音で「イ」の音は全然含みません。綴りと実音が結びつきにくいので、注意喚起のため、オレンジ色をつけてあります。口形は「イ」に近いです。**「偽りのアイ」**と覚えましょう。
○2群6列目 -ian（初めの子音がない時は yan と表記）は「イエン」と読みます。中国語の n の直前には必ず小さな「エ」がついているため、「イアエン」がつづまって「イエン」となったと考えます。注意喚起のため紫色をつけてあります。

注1：変化した母音のこと。

最初に**特に重要な**4種類の母音を学びましょう。

1 u[uː]注1 （前に子音がない時は wu と表記）

巻末の音節表では3群の全部の音節の最初の母音です。まず日本語のウと中国語の u（wu）の舌の形や位置を見てみましょう（**図6**参照）。

日本語ウでは休息時の舌の状態に近く、平らであまり緊張していません。（ツゥー、スゥー、ズゥーなどの場合のウは舌尖が下前歯に触れ、舌端が上前歯に接近します。）

一方、中国語の u（wu）では、舌全体が後ろに引かれ、舌尖は下前歯から離れるため、口腔前部に大きな空間ができ、後舌面は高くなり、口腔の後ろは狭くなる結果、独特の深みを持った音が出るのです。またこの状態を作り出すために、舌は相当緊張します。

u（wu）の発音手順はこうです。

1）唇左右端を上下に閉じ真ん中を開けます。唇の丸め（円唇と言います）や突き出しはあってもなくても良いです（**図7**参照）。

2）舌尖（舌の突先）を下前歯の歯茎に沿わせて下げると舌が丸まって後舌（うしろじた）が高くなる結果、口腔の前の方は広く、後の方は狭くなります（**図6**下参照）。これができない場合は、日本語オの構えをしてウを発しても良いです。その際、口腔最奥部の穴をできるだけ狭くするようにすると、中国語 u（wu）が出やすいです。

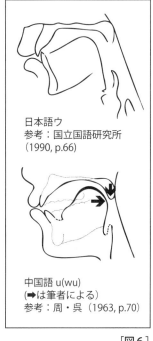

日本語ウ
参考：国立国語研究所（1990, p.66）

中国語 u（wu）
（➡は筆者による）
参考：周・呉（1963, p.70）

［図6］

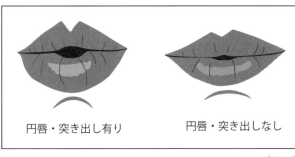

円唇・突き出し有り　　　円唇・突き出しなし

［図7］

注1：[ ] は国際音声表記のためのカッコ。国際音声記号（International Phonetic Alphabet, IPA と略称）は、英語などの発音記号のもっと詳しいもの。[ː] は直前の音を延長する記号。

3）次に**軟口蓋の最奥部両側の部分を内側に寄せ**ます。［図
8］は u（wu）の時の上からの口の投射図です。斜線部
は軟口蓋が舌についていることを表し、しかもその部分
が中央に向かって狭められています。また舌前方も奥に
引かれているので、舌の後ろが盛り上がり緊張します。

[図9] を見てください。これは奥歯辺りの垂直断面
図（筆者想像）です。日本語ウは舌の高さが低く、平ら
で緩んでいます。中国語 u（wu）は舌の高さが高くな
っています。特に日本語オの構えからスタートした人
は、[図9] 下の状態を心して実行してください。**例9**
を聞いてください。

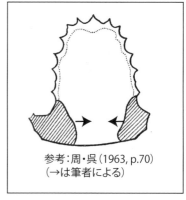

参考：周・呉（1963, p.70）
（→は筆者による）

［図8］

【例9】  🔊 21

　　　wū

4）日本語ウとの違いを明確にするため、wū と日本語ウー
を聞き比べてください。

【例10】 🔊 22

　　　wū　ウー　　wū　ウー　　wū　ウー

5）自分でもこの二つの音を音声について発音してみましょ
う。

▼ ドリル9 🔊 23
　　wū　ウー　　wū　ウー　　wū　ウー

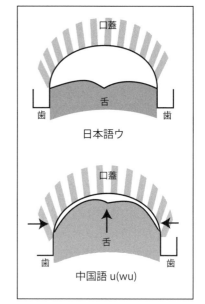

口蓋

舌

歯　　　　　歯

日本語ウ

口蓋

舌

歯　　　　　歯

中国語 u(wu)

［図9］

　wū では口腔の奥が窮屈な感じがするけれど、ウーではそのような窮屈な感じが少しもなくて、全
体的に緩んでいる感じがして楽でしょう。（もし唇を丸めた方がやり易いなら丸めても構いません。
日本人にはその方がやり易いかもしれません。）

6）別の声調がついたらどうなるか聞いてください。1声、2声、3声、4声です。3声は半3声で発します。

【例11】  24

　　　wū　　wú　　wǔ　　wù

今度は自分でも一つ一つ音声について発音してみましょう。

ドリル10  25

　　　wū　　wú　　wǔ　　wù

これで u[uː] はほぼ完成です。

2　e[ɤː] または [əɤ]

　日本語にはない、特色ある音で、この発音のできで中国語の響きが大きく違ってきます。**音節表では黄色**がついています。発音手順はこうです。

1）「子供の悪態イー」を再現するつもりで、口角を左右に思いきり引きます。前歯上下は少し開いています。その時舌尖（舌の突先）は下前歯裏につき、舌端から中ほどにかけては上顎についていることを確認してください（**図10**参照）。

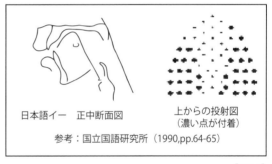

日本語イー　正中断面図

上からの投射図
（濃い点が付着）

参考：国立国語研究所（1990,pp.64-65）

[図10]

2）舌前半部分をそのままの形で、舌全体をこれ以上後退できないところまで後退させると 後舌は軟口蓋（上顎の後半部分）に密着し、声が出なくなります。

3）密着部分の後舌の左右端とそれに対応する軟口蓋の左右端を強く押し付け、中央部は上下に開いてアーモンド状の空間になるようにして発音します（**図11**参照）。開き方が不十分だと「苦しげなウー」になってしまいますので、「アー」のつもりで舌根を後ろに押し付ける感じで発音してください。（最初「苦しげなウー」もしくは英語のアイマイ母音 [ə] を少し出してから本格的な e[ɤː] に変える二重母音的な方法 [əɤ] でも良いです。）

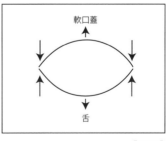

軟口蓋

舌

[図11]

4）u[uː]とe[ɤː]を比べてみると、舌の形状と力の入れ方が違うのが分かります。u[uː]は舌尖を下に向け舌体をまっすぐ奥に引き軟口蓋後端を下げれば良いですが、e[ɤː]は前舌を下げ、舌根上方部分を後上方斜め45°の方向に引き上げ、対する軟口蓋の後端も前下方斜め45°の方向に押し下げるようにします（**図12**参照）。

　裏技として、舌根を🔘部分に近づけるようにすると、良い音が出やすいです。

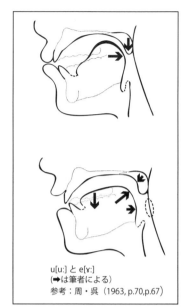

u[uː]とe[ɤː]
（➡は筆者による）
参考：周・呉（1963, p.70, p.67）

［図12］

5）声調を付けたe[ɤː]をきいてください。

【例12】 🔊 26

ē　é　ě　è

今度は二重母音的な発音です。[əɤː]

【例13】 🔊 27

ē　é　ě　è

6）さあ、今度は自分でも一つ一つ音声をまねて発音してみましょう。2種のうちどちらでも良いです。

〽 ドリル11 🔊 28

ē　é　ě　è

3　ü[y:]（前に子音がない時は yu と表記）

　これも日本語にはない音です。ドイツ語の用語を借用して「ウムラウト（Umlaut)」と呼びます。発音手順は次の通りです。

1）最初は2と同様に、「子供の悪態イー」からスタート。口角を左右に思いきり引きます。前歯上下は少し開いています。その時、舌尖（舌の突先）は下前歯裏につき、舌端から前舌までは上顎についていることを確認してください（**図10**参照）。

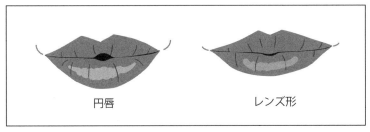

［図13］

2）舌尖と前歯裏、舌端・前舌と上顎の密着を保ったまま、口角を緩め唇を丸めてください。**口の中はイーの状態**で、**唇は丸め**ます。日本語にこの組み合わせはないので、初めてこの音を学習する人は**口の前の方に違和感**が生ずるはずです。多少丸みが緩んで、レンズ形のようになっても良いですが、**口角には力を入れて上下をしっかり止めて**ください。

3）コツは唇の周囲（口輪筋部分）内側を上下前歯に密着させ隙間を作らないようにすることです。声調をつけた音声をきいてみましょう。

【例14】
　　　yū　　yú　　yǔ　　yù

4）日本語ユーとの違いを明確にするため、**yū** と日本語ユーを聞き比べてください。

【例15】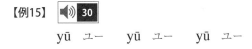
　　　yū　ユー　　　yū　ユー　　　yū　ユー

　今度は自分でも音声をまねて2種の音を1音ずつ発音してみましょう。

ドリル12 🔊 31

yū ユー yū ユー yū ユー

yū の時は終始構えが変わらないですが、ユーの時は舌が上顎から離れるのが分かるでしょう。舌が上顎および下の歯から離れると簡単に「ユー」になってしまいます。離れないようにするには、逆に舌を**それぞれ前歯裏および上顎に押し付ける**ようにすると、うまく行きます。唇が動いて口角が左右に引かれると「イー」に類似してしまいます。唇の丸めや口角の押さえを維持しましょう。

 ドリル13 🔊 32

yū yú yǔ yù

4 a[ɑ:] 後舌のa

舌を思い切り下げて、日本語アより**力を入れて舌全体を奥に引きます**（図14参照）。日本語アと同じと思っているとこの音はきれいに響きません。**この音ができると他の音との差ができて全体としてとても美しい響き**が得られます。この a は単母音の他、1群中の ao、ang、2群の iang、3群の ua、

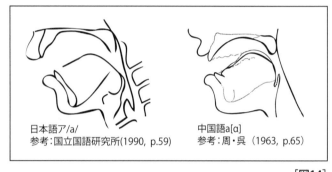

日本語ア/a/
参考：国立国語研究所(1990, p.59)

中国語a[ɑ]
参考：周・呉 （1963, p.65)

[図14]

uang で出現します。声調つきの音を音声について一つ一つ練習してください。

 ドリル14 🔊 33

ā á ǎ à

....

これで重要母音4種の説明は大体終わりました。**この4種が正確に発音できるようになると、それだけでもう「中国語の発音がとても良い」と思われる、言わば「強み」になる**音ですから頑張ってマスターしましょう。

5　重要母音の応用

　一つ一つの音が正確に発音できるようになったら、前に練習した「鸛雀楼に登る」（王之渙作）を以下の組み合わせで練習してください。**ドリル15**のみまず例を音声で提示します。音声に合わせて一緒に練習しましょう。**ドリル16〜18**は自分で練習してください。

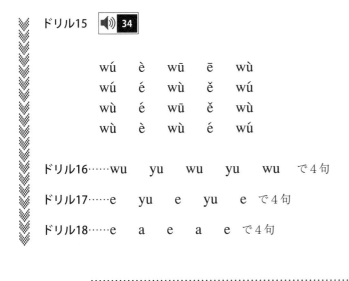

ドリル15　🔊 34

wú	è	wū	ē	wù
wú	é	wù	ě	wú
wù	é	wū	ě	wù
wù	è	wù	é	wú

ドリル16……wu　yu　wu　yu　wu　で4句

ドリル17……e　yu　e　yu　e　で4句

ドリル18……e　a　e　a　e　で4句

....

　最初はとても難しく感じると思いますが、根気強く練習してください。見て良いのは声調符号のみで、**ピンインを書き込んだものを読み上げてはいけません。**ピンインは別の場所に書いてください。

中国語は通常漢字で表記されますが、日本語の平がな・片かなに当たるアルファベット（通称ピンイン、正式呼称 "拼音字母 pīnyīn zìmǔ"）も併用します。このピンインは正式な文字であって、発音記号ではありません。中国の小学生も最初に勉強するのはピンインです。学習者も入門期にはもちろんピンインから学習します。かなと同様、規則をマスターしてしまえばどう発音するかが分かりますから大変重要です。まず音節構造を簡単に説明します。

子音 （ないことも）	介音（つなぎの母音） （ないことも）	主母音	末尾音（終わりの母音もしくは子音） （ないことも）

[表2]

声調は音節全体にかぶりますが、声調符号は主母音の上に付けます。基本的に各音節は主母音を持ち、主母音と声調だけで1音節を構成することもあります（ng という音節は主母音を持ちません。）以下各種組み合わせを紹介します。

中国語 "声母 shēngmǔ"（日本語でセイボ）は、**音節の最初に来る子音**のことで、子音がない時は「ゼロ声母」といいます。音節の残りの成分、即ち介音、主母音、末尾音、声調をまとめて "韵母 yùnmǔ"（日本語でインボ）といいます。末尾の子音は n[n] と ng[ŋ] の2種のみです。

音節例	声母（前につく子音） "声母 shēngmǔ"	韻母 "韵母 yùnmǔ"			
		介音	主母音	末尾音	声調
á	ゼロ	なし	a	なし	2声
ǒu	ゼロ	なし	o	u	3声
ēn	ゼロ	なし	e	n	1声
tóng	子音 t	なし	o	ng	2声
jià	子音 j	i	a	なし	4声
qiāo	子音 q	i	a	o	1声
chuàng	子音 ch	u	a	ng	4声

[表3]

　中国語では、1漢字（1音節）で1語ということもありますが、多くの場合複数の漢字（複数音節）で1語をなします。その場合、ピンインはつなげて表示するので、どこで音節が切れるかが分からないと正しい発音ができません。たとえば、"今天 jīntiān" の場合、漢字が二つあるので2音節ということはわかりますが、jī ntiān と分けるとどうでしょう。一つ目は可能ですが、二つ目のような音節は存在せず不成立となります。また jī と jīn では1音節中の音の数が異なり、音節中に占める各音の時間長も違ってきます。ですから2音節以上のピンインがつながっている場合、どこで切るかが重要になってきます。要は音節表の一つ一つの小さな四角に入ったピンインのまとまりを覚えてしまえば良いことなのですが、400個以上を一度に覚えるのは大変ですから、ドリルをしながら理解してください。

　音節表を見ながら、どういう音節があるかを見てみましょう。

> 例：饥饿 jīè → jī/è　　凉快 liángkuài → liáng/kuài
> 　　共和国 gònghéguó → gòng/hé/guó

ドリル19（音節分け）

A レベル

（声調符号の数だけ音節があるはずで、／（スラッシュ）の数は音節数より一つ少ないです。）

āyí　　mǎlù　　lìlái　　wēndù　　shēnghuó　　hòutiān　　kēxué

guójiā　　xiǎoshuō　　fāmíng　　ménqiányuányīn　　huǒchēzhàn

diànyǐngyuàn　　yǒuxīnjià　　bǎihuògōngsī

B レベル（軽声、即ち声調符号なしの音節があります。）

jiùshi　　míngbai　　tāmen　　móhu　　chūntian　　zhuāngjia

kànbudǒng　　tīngbujiàn　　gòubuzháo　　chībude

　次に、声調符号をどこにつければ良いかの目安を示します。もちろん、**声調は音節全体にかかる**のですが、符号はピンイン中の1字を選んでその上に付けるという規則があるので、まず符号を付ける練習をしてみましょう。下のルールを覚えておくと、便利です。

a と e ＞ o ＞ i と u（ü 含む）

　この不等式では、左にあるものほど符号を引き寄せる力が強いと考えます。一つの欄に入っている母音（たとえば a と e）の力は等しいです。（稀に ng など母音のない音節がありますが、その時は n の上につけます。）

❖　注意点

1）i の上に符号を付ける時は、líng のように上の点を省きます。

2）a と e は同一音節内に出現することはありません。

3）i と u（ü を含む）は等価ですが、同一音節内に出現することがあり、その場合後ろの方が強い　と考えて、jiǔ（酒）huì（会）のように後ろの方に符号を付けます。

ドリル20（符号付け）

　　まず音節分けをしてから、音節表と先ほどの不等式を用いて声調符号をつけてみましょう。慣れてきたら音節分けはしなくて良いですが、どこが音節の境界かはしっかり認識する必要があります。

例：shunbian（4声＋4声）　→　shun/bian　→　shùn/biàn

1声＋1声……wuya　　shige　　huiguang　　kongzhong　　xingqi
　　　　　　shuangfang

1声＋2声……boji　　kexue　　tuichi　　chuguo　　guangrong
　　　　　　guanhuai

1声＋3声……guku　　shangu　　wajing　　qiuyin　　juankuan
　　　　　　jiaowang

1声＋4声……jidan　　quyu　　qinjin　　bengkui　　xianhe
　　　　　　bingkuai

2声＋1声……shiqi　　yanjiu　　hehua　　cansang　　xiongmao
　　　　　　louti

2声＋2声……renquan　　youju　　qiaoliang　　huaiyi　　xingcheng
　　　　　　hongqi

2声＋3声……pingshui　　qinggan　　xunzhao　　juzhang　　kuishou
　　　　　　chuantong

2声＋4声……tiwen　　shiji　　geming　　qiangdiao　　qunzhong
　　　　　　huaijiu

3声＋1声……siji　　kache　　putong　　fensi　　dianzhang

　　　　　　nüzhuang

3声＋2声……zuguo　　wangqian　　tieqiao　　yanyuan　　chuyu

　　　　　　xianran

3声＋3声……zhanlan　　lingdao　　jianmian　　changzhang

　　　　　　zhuanlian

3声＋4声……shujia　　lingxiu　　dangci　　jiudian　　xiangshou

　　　　　　zhuanrang

4声＋1声……dasheng　　fangsong　　zhengzong　　xingkui　　lüshi

　　　　　　zhanxian

4声＋2声……eyu　　jieyan　　fanwei　　waiguo　　shuaizhi

　　　　　　zhuangnian

4声＋3声……baodao　　huiguan　　dadan　　guachi

　　　　　　chuangju　　shoujiang

4声＋4声……dianhua　　lingwai　　panduan　　guahao　　mianxiang

　　　　　　zhuyi

　これだけたくさんすれば、もう音節表を見なくても大体できるようになったでしょう。音節の境界を瞬時に認識することはとても重要ですので、ピンインを見るときは常に境界を意識しましょう。

………………………………………………………………………………………

中国語の音節末尾音 -n -ng と日本語音読み末尾ンとウ・イの関係

　日本が中国から漢字を導入した頃、その漢字を導入・使用していたのは高度な音感や知識を持った貴族や僧侶達でした。彼らは当時の中国語音を注意深く聞いて苦心して日本の音に置き換えて表し、当時の日本人が漢字を簡便に使えるようにしたのです。それが現在の音読みの起源です。その中でも音節末の -n -ng の区別は、日本語音読み末尾ンとウ・イに表れているので、現代の日本人中国語学習者にも大変役立ちます。中国語の音節の末尾が -n の場合、対応する日本語漢字の末尾はン、中国語の音節の末尾が -ng だと対応する日本語漢字音読みの末尾はウかイです。

	中国語	日本語音読み		中国語	日本語音読み
今	jīn	コン・キン	山	shān	サン
京	jīng	キョウ＊・ケイ	商	shāng	ショウ＊

＊昔はそれぞれ「キャウ」「シャウ」と読んでいたので、現在よりもっと中国語の音に近かったはずです。

　時には例外もありますが、かなりの高率であてはまるので、これを覚えておくと、とても便利です。

有気音と無気音

中国語の子音を学ぶ前に次の事柄を理解しておいてください。

声　帯：のど仏のすぐ内側にある、開閉できる2枚の薄い膜のこと。

声　門：声帯の間にある空間のこと。

無　声：声門が開いていると、呼気が何にもじゃまされずに自由に通るので声帯は振動せず、のど仏に指をあてても震えを感じない状態。無声音はその音のこと。清音や内緒話の声。

有　声：声門が緩く閉じていると、呼気がそこを突破して通過する時、声帯が振動するため、のど仏に指をあてると震えを感じる状態。有声音はその音のこと。通常の母音や濁音は有声音。

破　裂：発音器官内で閉鎖の内側に呼気をため、閉鎖を解いて呼気を発すること。その時、**明確な呼気音を伴うものと伴わないものがある。伴うものを有気音、伴わないものを無気音と言う**。破裂がなければ有気・無気の別は生じないので、その別を生むのは破裂音か破擦音（破裂＋摩擦）に限られる。

有気音：破裂時、明確な**呼気音（吐く息の音）を伴う**音のこと。

無気音：破裂時、明確な**呼気音を伴わない**音のこと。

有気音

　中国語には無声（清音、声帯振動なし）の有気音 p[pʻ]（ʻ は明確な呼気音を表す）、t[tʻ]　c[tsʻ]　q[tɕʻ]　k[kʻ]　ch[tʂʻ] の６種があり、有声（濁音、声帯振動あり）の有気音はありません。ch[tʂʻ] は後ほどそり舌音のところで説明することにして、まずそれ以外の５種を学びましょう。

　pa を例にしてメカニズムを説明します。IPA を ［　］抜きで使用しています。h は ʻ と同じ。

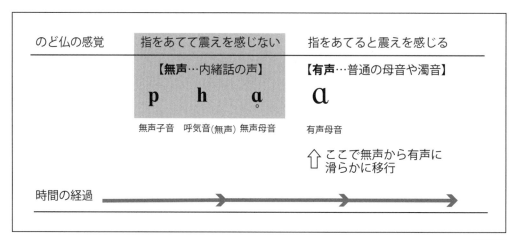

　のど仏の感覚　　　指をあてて震えを感じない　　　指をあてると震えを感じる

【無声…内緒話の声】　　　　　【有声…普通の母音や濁音】

　p　h　ạ　　　　ɑ

無声子音　呼気音(無声)　無声母音　　　　有声母音

⇧ ここで無声から有声に
　滑らかに移行

時間の経過

［図15］

　⇧の左側は無声の状態（声帯振動がなくのど仏に指をあてても震えを感じない状態）で、「内緒話の声」です。日本語のパ行子音が一瞬聞こえて、呼気音と「内緒話」の [ɑ̣ː]（下に付いている小丸は無声を表す）が短時間持続するのですが、ここまでは声帯振動がありません。その後、滑らかに有声母音 [ɑː]（声帯振動があり、のど仏に指をあてると震えを感じる状態）に移行します。日本語では、有気音も無気音も確かにあるのですが、有気音だからといって意味が変わったりしません。しかも、多くの外国語と比べ、日本語では子音を軽く発音する傾向があり、子音の後すぐに有声母音が始まってしまうことが多く、無声の時間が短いのです。そのため、呼気音が必要な発音をしようとしてもタイミングが合わなかったり、せっかく発出したのに直後の有声母音のタイミングが早すぎて呼気音を抑えてしまったりします。**コツは、最初の段階で「内緒話の声」の時間を十分取る**こと、そしてその最中に強い呼気音を発し、それが確認できたら、**継ぎ目なし**で有声母音（通常の母音）に移ることです。どんなに短い有気音であっても注意深く聞くと、**無声と有声の２段階**に聞こえます。

実際にやってみましょう。

1）まず、上唇と下唇を合わせ（閉鎖し）、下腹に力を入れて呼気を口中に満たし更に唇の合わせ目を呼気で押すような感じで、一気に両唇を開いて呼気を発し、無声（内緒話の声）の状態のまま[ɑ̥ː]を続け、音声をまねて[pɦɑ̥ː]を3回発音してみましょう。すべて無声音です。

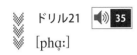
[pɦɑ̥ː]

2）では次に、**有声母音（通常の母音）**のa[ɑː]を発音してみましょう。これは以前学んだ重要母音の一つです。舌を思い切り下げ、口腔奥を日本語アより広く高く開けます。音声をまねて3回発音してみてください。

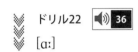
[ɑː]

3）では最後に、最初1）の[pɦɑ̥ː]を発し，次に**継ぎ目なしに**2）の[ɑː]に移りましょう。音声をまねて3回発音してみてください。

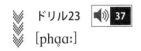
[pɦɑ̥ɑː]

うまくできましたか。これがpaです。無声部分[pɦɑ̥]は日本語を母語とする人の耳には「パ」と「ハ」を合わせたような音に聞こえるでしょう。

次に、無声有気子音5種 p t c q k を発音するためには、口腔内のどことどこを合わせるか（閉鎖するか）を、表にして比べてみます。これらと無声無気子音 b d z j g の5種の閉鎖の場所はそれぞれ共通ですので、一緒に表にしてみると下記のようになります。

各無声子音（そり舌音以外） 有気／無気	口腔内の閉鎖の場所	日本語の中で近い音
p b	上唇と下唇	パ行子音
t d	上歯裏と舌端	タ、テ、トの子音
c z	上歯裏～上歯茎と舌端	ツの子音
q j	上歯茎～硬口蓋と前舌～中舌	チの子音
k g	軟口蓋と後舌	カ行子音

［表4］

口腔内の閉鎖の場所が、前から後ろに移動しているのが分かるでしょう。口腔内で閉鎖の場所は変動しますが、閉鎖を破るメカニズムは有気音同士、無気音同士では皆同様ですので、まず p[pʻ] から順に無声有気音を発音してみましょう。音声の後について発音してください。

【例16】
　　　 pā　tā　cā　qī　kā

いずれも無声（内緒話の声）の時間をきちんと取って強力な呼気音を発した後、**継ぎ目なしに有声母音（通常の母音）に移る**のがコツです。今度は k から p に向かってやってみましょう。

【例17】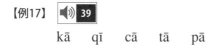
　　　 kā　qī　cā　tā　pā

　無気音とは、呼気音を伴わない子音を言います。ｂｄｚｊｇこの５種の子音の閉鎖と破裂の場所は、有気音ｐｔｃｑｋの５種とそれぞれ同一で、違いは破裂の際の呼気音の有無だけです。呼気音が聞こえるのが有気音、聞こえないのが無気音です。これら無気子音のピンインｂｄｚｊｇは英語だと有声音（濁音）に当たる文字で表示されていますが、中国語ではこれらの音はすべて無声音（清音）です。まずこれら５種の無声無気子音を聞いてください。

【例18】 40
　　bā　　dā　　zā　　jī　　gā

　無気音の場合、破裂直後呼気音が聞こえず、子音からすぐ有声母音（通常の母音）に移るのがわかるでしょう。比較のために、有気音と無気音のペアを聞いてみましょう。

【例19】 41
　　pā / bā　　tā / dā　　cā / zā　　qī / jī　　kā / gā

　次に、無気音の発音しやすい方法をご紹介します。
　まず、「アッア」と言ってみてください。「ッ」の時、のどの奥の方で締まる感じがしたでしょう。これを声門閉鎖と言い、[ʔ]で表します。声門閉鎖の直後、閉鎖をゆるくして声門下からの呼気を声門に通して２番目の「ア」を発音しているのです。日本語の「アー　イー　ウー　エー　オー」の直前にこの「ッ」（[ʔ]）を付けて発音してみると次の例のような感じになります。

【例20】 42
　　ッアー　ッイー　ッウー　ッエー　ッオー

　今度は自分でも音声をまねて練習してみましょう。

　ドリル24 43
　ッアー　　ッイー　　ッウー　　ッエー　　ッオー

次に5種の無気子音に上記のメカニズムを応用してみましょう。最初に声門閉鎖をすると、声門下からの空気の上昇を抑えられるので、無気音を出しやすくなります。ba da za ji ga の中で口腔内の閉鎖の場所から声門までの距離が最も短いのは g で、j z d b の順で距離が長くなります。ga [ʔkɑ] の場合、[k] を出すためには、軟口蓋と舌の後部を合わせ（閉鎖し）ますが、同時にさらに奥の「ッ」（[ʔ]）を用意する場所でも閉鎖を作ります（声門閉鎖）。二つの閉鎖を同時に解いて直ちに有声母音に移れば、ga[ʔkɑ]になります。「ッカー」の方がやりやすい方はそれでも結構です。コツは咽頭と口腔中の空気を、周囲の筋肉で圧縮して発することです。[kkɑ] と考えても良いのです。そのため g の場合が二つの破裂の時期を最も合わせやすいので、無気音の練習は有気音とは逆の順番にします。

例を聞いてください。

【例21】

gā   jī   zā   dā   bā

音声をまねて g から順々に発音してみましょう。

ドリル25

gā   jī   zā   dā   bā

口腔内の閉鎖の場所が変わるだけでメカニズムは同様です。声門閉鎖（「ッ」または [ʔ]）の解除（固い閉鎖からゆるい閉鎖）のタイミングは必ず口腔内の閉鎖の解除と同時かほんの若干遅れます。それがコツです。

有気音と無気音の対比

　以上で有気音と無気音の発し方は大体分かったでしょう。今度は、2種の対比を練習しましょう。ピンインを見ながらそれぞれのメカニズムを思い浮かべて、音声をまねして1組ずつ発音してみましょう。

ドリル26　🔊 45

pā / bā 　　 tā / dā 　　 cā / zā 　　 qī / jī 　　 kā / gā

　有気音と無気音の違いは、決して**声の大きさではありません**。子音直後、有声母音の直前、「**無声（内緒話の声）の呼気音および無声母音**」が明確に確認できるのが有気音、子音直後に**無声母音の時間が全くないためすぐに有声母音に移る**のが無気音という違いです。有気子音を発する際は声門下からの呼気を使うこと、無気子音の際は声門から上の咽頭と口腔の中の空気を、周囲の筋肉で圧縮して発するのがコツです。

　今度は、聞き取りをしてみましょう。音声を聞いたら**すぐに**有気音か無気音かを答えてください。時間をかければ分かるというものではありません。逆に時間が経てば経つほど聴覚印象が薄れて、正解から遠ざかるので、聞いたらすぐに答えましょう。

ドリル27　🔊 46

1) 　　　　　　　 2) 　　　　　　　 3)

4) 　　　　　　　 5)

....

　自分で明確に発音できるようになると、聞き取りも自然にできるようになります。中国語では有気音と無気音の区別は非常に重要ですので、じっくりと練習してください。

残りの子音（そり舌音以外）の発音

そり舌音は後ほどにして、まずこれまで学習した有気音と無気音以外の子音の勉強をしましょう。

m m は日本語のマ行子音とほぼ同じですが、それより強く発音します。鼻音です。

f f は上歯で下唇を軽く押さえてその隙間に空気を通して発します。英語と同様です。fu の場合、上歯と下唇は軽く押さえたままで離さないので、円唇はできません。u（wu）で一番重要なのは、円唇ではなく、舌尖を下に向け舌体を後ろに引くことによって、口腔内前方に大きい空間を作り、後方は狭くすることです。ついでに言えば、頬の内側を中に寄せるとさらに良いです。

n n は日本語のナ行子音とほぼ同じですが、それより強く発音します。鼻音です。

l l は日本人にとっては少々難しい音で、コツが必要です。舌先を上歯に付けたまま軽く「ウー」と発した直後、舌を上歯から離すと同時に目標の母音（たとえば a）に移ります。日本語ラ行子音より硬い感じの音です。「ウー」と発した直後、舌の両脇を呼気がすり抜ける時、すでに l の音が出ており、次に来る母音との時差がかなりあるのですが、日本語ラ行の場合は、舌端を上歯茎から離す時に舌先の上を呼気が通って音が生じ、子音と母音の発生タイミングが大変近いのです。ですから l を発音する時は、舌先の構えと「ウー」の発音を早めに準備することが肝要で、決して日本語ラ行のようにしないでください。

s s は、日本語サ行のうち、サ、ス、セ、ソの子音とほぼ同じ音ですが、摩擦がより強い、つまり呼気がより強いです。

x x は日本語シとほぼ同じ子音ですが、シと比べ x の方が摩擦が強いので呼気を強く発してください。

h h は日本語ハ、ヘ、ホとほぼ同じ子音ですが、それらより狭めをやや後ろで作り、そこを強い呼気でこするようにして発音してください。軽くのどを鳴らす感じだとうまく行きます。

w w は 2 種類あります。
1）wu の場合、w は形式的についているだけで、実質は u[uː] です。
2）wa wai wan wang wei wen weng wo の場合、日本語ワの半子音 [w] と同様の働きをします。

y

yは3種類あります。

1）yi yin ying の場合、y は形式的についているだけで、実質は [iː][in][ɪŋ]^{注1} です。

2）ya yao yang yo you yong の y は、日本語ヤ ユ ヨと同じ半子音 [j] です。"様 yàng" は、"様子" では [jaŋ⁵¹]^{注2} となり、"一様" では [ijaŋ⁵¹] のようになることが多いです。

3）yan ye yu yuan yue yun の場合、このy は i[i] の役割を果たす母音です。yan は [iɛn]（イエン）になります。ye は [ie]（イエ）ですが、[je]（ィエ）となることもあります。ウムラウトは i[iː] と u[uː] が混じってできた音 [y] です。

注1：[i] は日本語長母音イーの時出る音。[ɪ] は [i] ほど口角を横に引かない、日本語の短母音イ。
注2：[jaŋ⁵¹] の数字51は4声の調値を表す。1声は55、2声は35、3声は211か214。

実際に声母（音節の最初に立つ子音）と韻母（母音と声調）を組み合わせ、発音の練習をしてみましょう。音節表を開いて、各音節に声調を付けて発音してみましょう。

1列目 a 最初の4音節を聞いてみてください。

【例22】  47

bā   pá   mǎ   fà

ここで3声は必ず**半3声**で発してください。また、この母音は重要母音の一つで、発音記号で示すと[ɑː]（後舌のa）ですから、**舌を思い切り下げて発する**音です。**口角は引かないで**ください。口腔奥が日本語アより窮屈な感じがします。今度は自分でも音声をまねてやってみましょう。

同様に例をまねて発音してみましょう。そり舌音は跳ばして下に行き、最下段に着いたら次の行に移ってください。

ドリル28 🔊 48

bā   pá   mǎ   fà   dā   tá   nǎ   là
zā   cá   sǎ   gà   kā   há   wǎ   yà   ā

次も同様に例をまねて発音してみましょう。そり舌音は跳ばして下に行き、最下段に着いたら次の行に移ってください。

2列目の母音 o は日本語のオーと同じではありません。詳しく示すと[uoə]です。音節の最初で円唇を準備し軽い[u]を発し、最後の部分で口角を軽く引いて緩める感じにすれば割合簡単です。yo は[jo]（[o]は小さい円唇のオー）、o は[ɔ]（大きな円唇のオー）となります。音声をまねて発音しましょう。

ドリル29 🔊 49

bó   pǒ   mò
fō   ló   wǒ[wə²¹¹]   yò[jo⁵¹]   ō[ɔ⁵⁵]

3列目の e 行（黄色）は**下から**練習します。重要母音の一つ [ɤː][əɤ] です。この音の前に子音がつく場合、子音を準備するのと同時にできるだけこの音も準備するのがコツです。子音の発音が始まってからこの母音を準備したのでは十分に良い音が出ません。音声をまねて発音してください。

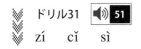
ドリル30

é　hě　kè　　gē　sé　cě　zè　　lē　né　tě　dè　　mē

4列目のオレンジ色の母音 -i は**イーと発音せず**、口角を横に引いた「ウー」のような感じで発音します。口角を引く形が i に似ていますが、i の音成分はほとんどないため、私は「**偽りのアイ**」と呼んでいます。上から、音声をまねて発音してください。

ドリル31

zí　cǐ　sì

5列目はそり舌音の基本の4種類の音で、後ほどやりましょう。

6列目の er は黄色い母音 [ɤ][ə] の仲間ですが、英語の per[pɑː] に出現するこの音 [ɚ] と似ています。しかし、[ɚ] は舌前部の前後の動きがほぼないのに対し、er では最初に [ɤ][ə] を発してから [r] に移行するため舌前部が前から後ろに動きます。4種の声調をすべて練習してみましょう。

ドリル32

ēr　ér　ěr　èr

7列目の ai という母音の組み合わせは [aɪ] で、**口角を引いて**発する [a]（前舌の a）の後、鋭くないイ [ɪ] を続けますが、**実際は** [aɛ] でも良いくらいなのです。口角を引く [a] の後、**あまり唇を動かさないで**舌の動きだけで「イ」と言ってみると丁度良いくらいだと思います。音声をまねて発音してください。

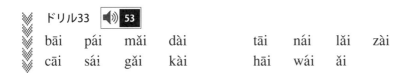
ドリル33

bāi　pái　mǎi　dài　　tāi　nái　lǎi　zài
cāi　sái　gǎi　kài　　hāi　wái　ǎi

8列目 ei[ei] は**口角をしっかり引いて発する**、明瞭な「エイ」です。音声をまねて発音してください。

ドリル34 🔊 54

| bèi | | pēi | méi | fěi | dèi | | nēi | léi | zěi | gèi |
| | | kēi | héi | wěi | èi | | | | | |

9列目の ao は重要母音の [ɑ] を使い [ɑo] と発音します。[o] は小さい円唇です。音声をまねて発音してください。

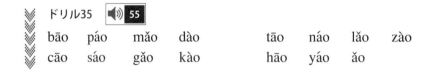

ドリル35 🔊 55

| bāo | páo | mǎo | dào | | tāo | náo | lǎo | zào |
| cāo | sáo | gǎo | kào | | hāo | yáo | ǎo | |

10列目 ou は [əu] と発音します。すぐ前の ao[ɑo] と非常に紛らわしく、単音節での聞き分けは中国人でもまちがうほどですが、2種を比べてみると ao[ɑo] の方がより明瞭ですから、迷ったら ou[əu] だと思えば良いのです。[ə] は口角を軽く引くオで、[u] は重要母音の u です。

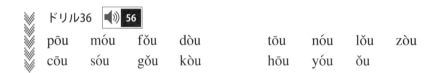

ドリル36 🔊 56

| pōu | móu | fǒu | dòu | | tōu | nóu | lǒu | zòu |
| cōu | sóu | gǒu | kòu | | hōu | yóu | ǒu | |

11列目は an[an] です。この [a] は口角を左右に引いて発音する、エに近いような音です（前舌の a）。「エ」の口をして「ア」という感じです。末尾の [n] に移る際、まず舌尖・舌端を上歯～上歯茎に付け、**付けたまま**「ヌ」と発します。舌尖・舌端が上歯～上歯茎に付く前に [n] を発しようとすると、[ŋ] が出てしまうことがあるので注意してください。今後この音節末尾の n はたくさん出てきますので、ここでしっかりマスターしておいてください。もし忘れたらここにもどって復習すると良いです。音声のまねをして練習してください。

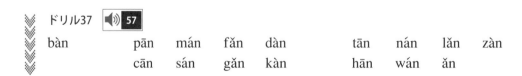

ドリル37 🔊 57

| bàn | | pān | mán | fǎn | dàn | | tān | nán | lǎn | zàn |
| | | cān | sán | gǎn | kàn | | hān | wán | ǎn | |

　12列目の en は、理論的には [ɤ] を少し緩くした音 [ə] に先ほどの [n] を続け [ən] となるはずなのですが、その特徴が出現するのは gen ken hen のみで、その他の音は [ɛn]（日本語のエンに近い音）で構いません。[ə] が後ろの [n] の影響を受けてそうなると考えられます（逆行同化と言います）。gen ken hen の場合は、子音の舌の形状、特に後舌と軟口蓋の付着・接近している状態が、[ɤ] や [ə] の後舌付近の状態に近似しているので、これらの子音と自然に両立しやすい結果、本来の母音が残るのだと考えられます。

　まず gen ken hen の音声をまねて練習してください。[ɤɛn] のような感じで発音するとうまく行きます。子音の準備をする時 [ɤ] も一緒に準備するとやり易くなります。

ドリル38  58

gēn　　kén　　hěn

　その他の音は、[ɛn]（日本語のエンに近い音）です。音声をまねて発音練習してください。

ドリル39 🔊 59

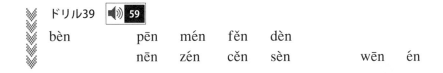

bèn　　　　pēn　mén　fěn　dèn
　　　　　nēn　zén　cěn　sèn　　　wēn　én

　13列目 ang[ɑŋ] は、口角を引かずに口の奥の高さをなるべく高くする、重要母音の [ɑ] を発し、その後**口の前を開けたまま、舌を下げたまま口の奥で「ン」**と発音します。尚、ng は一つの音 [ŋ] です。1音節ずつ音声のまねをして練習してください。今後この音節末尾の ng はたくさん出てきますので、ここでしっかりマスターしておいてください。もし忘れたらここにもどって復習すると良いです。では音声をまねて練習してください。

ドリル40 🔊 60

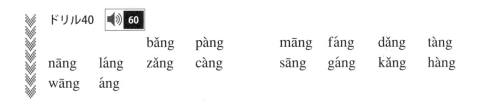

　　　　　　　　　bǎng　pàng　　　māng　fáng　dǎng　tàng
nāng　láng　zǎng　càng　　　sāng　gáng　kǎng　hàng
wāng　áng

　後ほど an と ang の区別の練習をします。

14列目 eng は、実際に [ən] で発音される場合もありますが、私は [ɤŋ] を推奨します。[ɤ] は力の入れ方が難しく、単音でも緩んで [ə] になりやすいのです。まして次の要素 ng[ŋ] があれば、e に与えられる時間は短くなり、また注がれるエネルギーも少なくなるのが当然で、そうなると [ə] も崩れてしまう可能性がありますから、初めから [əŋ] を目指すのは適切ではないと考えます。[ɤŋ] を目指した結果、やや緩んで [əŋ] に近似するのが一般的だと思います。

[ɤŋ] では、まず子音に [ɤ] を加えて発音し、正しい音が出たのを確認後、**口の前を開けたまま、口角と舌前部は動かさずに「ン」**といいます。

たとえば、**bēng** なら高い音程で be を発し、その高さのまま続けて上記の方法で [ŋ] を発します。その際、音程は「そのまま持続」と思わずに後半努力して強くすると高音を維持し易いです。

péng なら、まず中くらいの高さの音で pe を発し、高いところにある [ŋ] を目がけて一気に上げます。やはり後半を強くします。

měng なら、低い音程で me を発し、力を抜かずに努力して低い音を続けながら [ŋ] に移行します。力を抜くと音程が上がってしまいます。

fèng なら高い音程で強く fe を発し、低い所にある [ŋ] を目がけて一気に下げます。では音声をまねて発音練習してください。

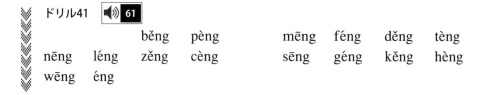

	běng	pèng		mēng	féng	děng	tèng
nēng	léng	zěng	cèng		sēng	géng	kěng	hèng
wēng	éng						

後ほど en と eng の区別の練習をします。

1群最終行 ong[uŋ] 母音部分以降、舌の前方が下に下がり、舌後方が高くなります。練習してみましょう。円唇はしてもしなくても OK ですが、開口度は小さいです。

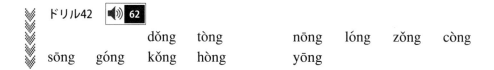

	dǒng	tòng		nōng	lóng	zǒng	còng
sōng	góng	kǒng	hòng		yōng		

an と ang の発音区別

　an と ang の発音の区別を練習してみましょう。**母音の時点ですでに音が違う**のがポイントです。

　an の場合、まず**口角を引き** [a]（前舌の a）を発音した後、素早く**舌尖を上歯裏につけたまま**「ヌ」といいます。その時「ヌゥ」と舌尖を上歯裏から離してはいけません。

　ang は**口角を引かず、舌をなるべく下げて奥に引き口腔の容積を大きくして** [ɑ] を発音した後、**口の前は開けっ放しにして**「ン」（[ŋ]）と発します。慣れてきたら口の前はそれほど大きく開けなくてもできるようになるでしょう。発音区別の練習をしてみましょう。1組ずつ音声を聞いてからそのまねをして発音してください。3声はすべて半3声です。

　ドリル43　🔊 63

bān / bāng	pán / páng	mǎn / mǎng
fàn / fàng	dān / dāng	tán / táng
nǎn / nǎng	làn / làng	zān / zāng
cán / cáng	sǎn / sǎng	gàn / gàng
kān / kāng	hán / háng	wǎn / wǎng
àn / àng		

an と ang の聞き分け

　次にこの２種の音の聞き分け練習をしましょう。音を聞いて、音節末尾が n か ng かを聞き分けてください。

　直前の母音も大切なポイントです。では１題ずつ音の直後に音声で解答（エヌかエヌジー）を言いますから、納得するまで何回も聞いてください。

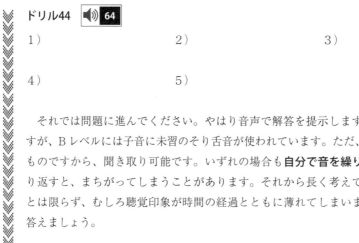

ドリル44 　🔊 64

1)　　　　　　　　　　2)　　　　　　　　　　3)

4)　　　　　　　　　　5)

　それでは問題に進んでください。やはり音声で解答を提示します。A レベルは既習の音ですが、B レベルには子音に未習のそり舌音が使われています。ただ、それ以外はすべて既習のものですから、聞き取り可能です。いずれの場合も**自分で音を繰り返さないこと**。自分で繰り返すと、まちがってしまうことがあります。それから長く考えても正しく聞き取りできるとは限らず、むしろ聴覚印象が時間の経過とともに薄れてしまいますので、聞いたらすぐに答えましょう。

A レベル 　🔊 65

1)　　　　　　　　　　2)　　　　　　　　　　3)

4)　　　　　　　　　　5)　　　　　　　　　　6)

7)　　　　　　　　　　8)　　　　　　　　　　9)

10)

B レベル 　🔊 66

1)　　　　　　　　　　2)　　　　　　　　　　3)

4)　　　　　　　　　　5)　　　　　　　　　　6)

en と eng の発音区別

　enと engの発音の区別を練習してみましょう。母音の時点ですでに音が違うのがポイントです。
　enの場合、まず**軽く口角を引く**「エ」を発音した後、素早く[n]に移行します。anでやった時と同様に**舌尖を上歯裏につけたまま**「ヌ」と言えばできますね。
　engは**口角を引き**まず[ɤ]を発音した後、**口の前は開けっ放しにして**「ン」([ŋ])と発します。発音区別の練習をしてみましょう。1組ずつ音声を聞いてからそのまねをして発音してください。3声はすべて半3声です。tengと lengは組み合う tenと lenがありません。また音と声調の組み合わせが実在しないものもあります（例 měn）。

ドリル45 🔊 67

bēn / bēng	pén / péng
měn / měng	fèn / fèng
dēn / dēng	téng
něn / něng	lèng
zēn / zēng	cén / céng
sěn / sěng	gèn / gèng
kēn / kēng	hén / héng
wěn / wěng	èn / èng

en と eng の聞き分け

　次にこの2種の音の聞き分け練習をしましょう。音を聞いて、音節末尾 n か ng かを聞き分けてください。直前の母音も大切なポイントです。音の直後に音声で解答を言いますから、納得するまで何回も聞いてください。

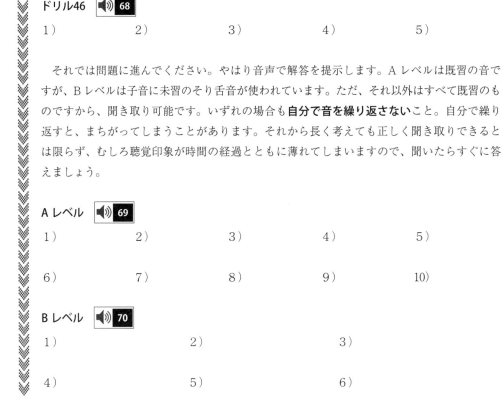

ドリル46　🔊 68

1)　　　　2)　　　　3)　　　　4)　　　　5)

　それでは問題に進んでください。やはり音声で解答を提示します。A レベルは既習の音ですが、B レベルは子音に未習のそり舌音が使われています。ただ、それ以外はすべて既習のものですから、聞き取り可能です。いずれの場合も**自分で音を繰り返さないこと**。自分で繰り返すと、まちがってしまうことがあります。それから長く考えても正しく聞き取りできるとは限らず、むしろ聴覚印象が時間の経過とともに薄れてしまいますので、聞いたらすぐに答えましょう。

A レベル　🔊 69

1)　　　　2)　　　　3)　　　　4)　　　　5)

6)　　　　7)　　　　8)　　　　9)　　　　10)

B レベル　🔊 70

1)　　　　　　2)　　　　　　3)

4)　　　　　　5)　　　　　　6)

ang eng ong の発音区別

　1群の最後に、音節末に ng を持つ3種の発音区別の練習をしましょう。1段目から順に左から右
へ、1声、2声、3声、4声と声調をつけて発音練習をしてみましょう。各音節の音声を聞いてすぐ
に発音してください。そり舌音の zh　ch　sh　r はとばします。

ドリル47　🔊 71

bāng	béng	pǎng	pèng
māng	méng	fǎng	fèng
dāng	déng	dǒng	tàng
tēng	tóng	nǎng	nèng
nōng	láng	lěng	lòng
zāng	zéng	zǒng	càng
cēng	cóng	sǎng	sèng
sōng	gáng	gěng	gòng
kāng	kéng	kǒng	hàng
hēng	hóng	wǎng	wèng
yāng	yóng	ǎng	èng

2群

次に、2群の音節を発音してみましょう。2群のiを私は**「まことのアイ」**と呼んでいます。

まず**16列目** i[iː]。**口角をしっかり横に引いて「イー」を発音します。**一音節ずつ音声をまねて発音してください。

▼ ドリル48 🔊 72
▼
bī　pí　mǐ　dì　　　　tī　ní　lǐ　jì　　　　qī　xí　yǐ

17列目は ia[ia] もしくは [ija] です。**ヤー[jaː]にならないように**はっきり「イ」を発してから次に移るよう気をつけてください。（注：[j] は半子音もしくは半母音で、前述の通り日本語ヤ、ユ、ヨの子音です。）ここで単母音、二重母音および単母音＋鼻音、三重母音および二重母音＋鼻音（n, ng）のリズムの違いを図示します。

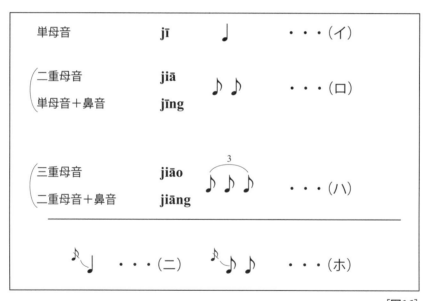

[図16]

イの -ī のリズムを音楽の四分音符一つ（ター）とすると、（ロ）の -iā や -īng のリズムは八分音符二つ（タッタッ）と考え、ハの -iao や -iang のリズムは三連符（タタタ）と考えます。

 ドリル49 🔊 73

　　liā　　jiá　　qiǎ　　xià

介音 i を軽く短く発音してしまうと、日本語の拗音（チャー、チュー、チョーなど）のようになり、中国語らしく聞こえません。（ロ）が拗音化してしまった場合は（ニ）のようになり、リズムは（イ）に近くなりますし、（ハ）が拗音化してしまった場合は（ホ）のようになってしまい、リズムは（ロ）に近くなります。現実には拗音のようになった場合のピンイン及び中国語の音は存在しませんが、敢えて無理やり表記すると次のようになり、音もこのようです。

【例23】 🔊 74

　　lyā [ljɑː⁵⁵]　　jyá [tɕjɑː³⁵]　　qyǎ [tɕʻjɑː²¹¹]　　xyà [ɕjɑː⁵¹]

こうならないように、**介音の時間を十分取り、各母音が明瞭に分かれて聞こえるように発音しましょう。**

今度は正しい発音と拗音化した良くない発音を組にしたものを一組ずつ、音声をまねて発音してみましょう。

 ドリル50 🔊 75

　　liā/lyā　　jiá/jyá　　qiǎ/qyǎ　　xià/xyà

❖　注意点

　ya は本来の配列ではこの行の最後にありましたが、実際の音は半子音の [j] で始まりほとんどの場合ヤー [jɑː] となり、四分音符一つのリズムに聞こえるので、私の音節表では1群の a の列に配してあります。

　18列目のiaoは、同じく図16で、16列目単母音iの長さを音楽の四分音符一つとすると、三連符に当たります。直前のiaと同様に介音iの時間（すなわち三連符の1／3）をしっかり取り、全体として三連符のリズムに聞こえるように発音しましょう。この音も日本語を母語とする学習者の場合、拗音化し易いので、心してそうならないよう、**介音の時間を十分取り、各母音が明瞭に分かれて聞こえるように**、音声をまねて発音しましょう。

ドリル51　🔊 76

biāo　piáo　miǎo　diào　　　　tiāo　jiáo　qiǎo　xiào

これも正しい発音と拗音化した良くない発音を組にしたものを一組ずつ発音してみましょう。

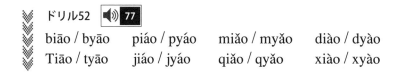

ドリル52　🔊 77

biāo / byāo　piáo / pyáo　miǎo / myǎo　diào / dyào
Tiāo / tyāo　jiáo / jyáo　qiǎo / qyǎo　xiào / xyào

特に、**biao piao miao jiao qiao xiao** は拗音化し易いので気をつけましょう。

❖　注意点

　yao は本来の配列ではこの行の最後にありますが、実際の音は半子音の [j] で始まるので、ほとんどの場合ヤオ [jɑo] のようになり、リズムは八分音符二つに聞こえるので、私の音節表では1群に配してあります。

　19列目の ie のリズムは八分音符二つで、イエ [ie] のように発音します。音声をまねて発音しましょう。

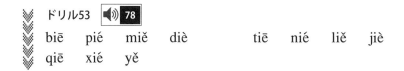

ドリル53　🔊 78

biē　pié　miě　diè　　　　tiē　nié　liě　jiè
qiē　xié　yě

ye はｨエー [je] となることもあります。

　20列目は少々複雑です。本来の母音の組み合わせは iou[iəu] ですが、1声と2声の時には o は省略されることが多く [iu] となります。u は重要母音の u です。上から順に発音を示しますので、音声をまねて発音しましょう。

　ドリル54　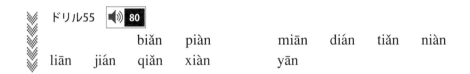 79
　miù[miəu⁵¹]　　diū　niú　liǔ[liəu¹¹]　jiù[tɕiəu⁵¹]
　qiū　xiú

❖　注意点

　最近は、声調にかかわらず省略される傾向がありますが、年配の方はまだ o を入れることがあります。you は本来の配列ではこの行の最後にありますが、実際の音は半子音の [j] で始まるので、ほとんどの場合 [jəu] の様になり、リズムは八分音符二つに聞こえます。そのため、私の音節表では1群に配してあります。

　21列目の ian はイエン [iɛn] と発音します。i a n という組み合わせにおいて、両端 i と n の舌の前後・上下の位置が近く、真ん中の a はその二つの舌の位置から遠くにあるため、短い時間で舌が長い距離を往復するより、a の舌の位置を少々ずらして i と n に近い位置の [ɛ] で発音する方が、舌の運動が少なくて済むという訳です。但し、ian に er がつくと、直前の n が脱落するため、元の a がもどってきます。yan の y は [i] です。音声をまねて発音しましょう。

　ドリル55　 80
　　　　　　　biǎn　piàn　　　miān　dián　tiǎn　niàn
　liān　jián　qiǎn　xiàn　　　yān

　22列目の in[in] は口角をしっかり横に引いて「イー」の準備をし [i] を発した後、すぐに舌端を上歯～上歯茎に付け、**付けたまま「ヌ」**と言って [n] を発します。[an] と同様、舌端が上歯～上歯茎に付く前に [n] を発しようとすると、[ŋ] が出てしまうことがあるので注意してください。音声をまねて発音しましょう。

　ドリル56　🔊 81
　bīn　pín　mǐn　nìn　　　līn　jín　qǐn　xìn　　　yīn

　　23列目の iang[iɑŋ] は、口角を横に引く「イ」を発した後、**口の前を開けたまま口の奥で「ン」**（[ŋ]）と言います。音声をまねて発音しましょう。

　ドリル57　◀)) 82

　　niāng　　liáng　　jiǎng　　qiàng　　　　xiāng　　yáng[ijɑŋ³⁵] もしくは [jɑŋ³⁵]

　　"一样" の "样" は [ijɑŋ⁵¹] に、"样子" の "样" は [jɑŋ⁵¹] になることが多いです。

　　24列目の ing[ɪŋ] は、口角を緩く横に引く「イ」に続けて、**口の前を開けながら口の奥で「ン」**と言います。音声をまねて発音しましょう。

　　ドリル58　◀)) 83

　　　　　　　　　　bǐng　　pìng　　　　　mīng　　díng　　tǐng　　nìng
　　līng　　jǐng　　qǐng　　xìng　　　　yīng

in と ing の発音区別

　in と ing の発音の区別を練習してみましょう。母音の時点ですでに音が違うのですが、この2種の場合は区別がむずかしいです。in の母音は [i] で口角をしっかり横に引きます。ing の母音は [ɪ] ですから軽く口角を引くだけです。通常日本語「イ」と同様です。-n と -ng の発音のしかたは、an と ang、en と eng の時と同様です。一組ずつ聞いてからまねをして発音してください。3声はすべて半3声です。

ドリル59 🔊 84

bīn / bīng　　pín / píng
mǐn / mǐng　　nìn / nìng
līn / līng　　jín / jíng
qǐn / qǐng　　xìn / xìng
yīn / yīng

in と ing の聞き分け

　次にこの２種の音の聞き分け練習をしましょう。音を聞いて、-n か -ng かを答えてください。直前の母音も大切なポイントです。**例24**では音の直後に音声で解答を言いますから、納得するまで何回も聞いてください。

【例24】

　　　　1）　　　　　2）　　　　　3）　　　　　4）　　　　　5）

　それでは問題に進んでください。やはり音声で解答を提示します。いずれの場合も自分で音を繰り返さないこと。自分で繰り返すと、まちがってしまうことがあります。それから長く考えても正しく聞き取りできるとは限らず、むしろ聴覚印象が時間の経過とともに薄れてしまいますので、聞いたらすぐに答えましょう。

ドリル60

　　　　1）　　　　　2）　　　　　3）　　　　　4）
　　　　5）　　　　　6）　　　　　7）　　　　　8）

　25列目 iong は、分類上は２群ですが、ウムラウトを含む音なので後ほど４群と一緒に練習します。

3群

この群の音節の最初の母音はすべて、以前学習した重要母音の一つ u です。舌尖を十分に下に向け、舌体を後ろに引くと、口腔の前部には大きな空間ができ、後部は狭くなることにより、深味のある音を発することができます。

26列目 u[uː]重要母音の一つです。音声をまねて発音しましょう。

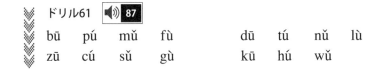

ドリル61 🔊 87

bū	pú	mǔ	fù		dū	tú	nǔ	lù
zū	cú	sǔ	gù		kū	hú	wǔ	

hu は日本語のフではありません。日本語のフは、上唇と下唇の間に呼気を通して摩擦を起こし発する音ですが、中国語の h は、日本語のハ・ヘ・ホを発する時に使う部位を使う上、摩擦が強いです。口腔奥を狭くし、そこを呼気でこするように発します。**日本語ホの構えをして、中国語 u の音を足す**とうまく行きます。

27列目 ua[uɑ]の a は重要母音の [ɑ] で、**口角を横に引かず、口腔の容積を大きくし、特に後部の高さを出す**ようにしてください。音声をまねて発音しましょう。

ドリル62 🔊 88

guà　　kuā　　huá[hoɑ³⁵]

hua を持つ音節、すなわち hua huai huan huang の u はすべて [o] のつもりで発音してください。

28列目 uo[uə]の o は口角を少し横に引いて発音します。音声をまねて発音しましょう。

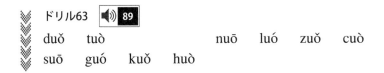

ドリル63 🔊 89

duǒ	tuò			nuō	luó	zuǒ	cuò
suō	guó	kuǒ	huò				

単母音、二重母音や単母音＋末鼻音、三重母音や二重母音＋末鼻音の音節内の時間配分については**図16**を参照してください。

29列目 uai[uaɪ] のリズムは三連符で、a は末尾の i の影響を受け（またはその事前準備のため）口角を引き、舌体が前に出る音です。音声をまねて発音しましょう。

ドリル64  90

guāi　　kuái　　huǎi[hoaɪ²¹¹]

30列目 ui[uɪ] もしくは[uəɪ]。少し複雑です。元々の母音の組み合わせは uei で[u]と[ɪ]の間に小さな「エ」が入ります。表記に e は入りません。この「エ」は3声と4声の時に出やすく（リズムは三連符）、1声2声の時には出ない（リズムは八分音符二つ）ことが多いです。音声をまねて発音しましょう。

ドリル65  91

duì　　　　　　　tuī　zuí　cuǐ　suì
guī　kuí　huǐ

31列目 uan[uan]、末尾が n ですから、真ん中の a は口角を引き、舌体が前に出る音です。音声をまねて発音しましょう。

ドリル66 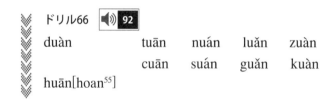 92

duàn　　　　tuān　nuán　luǎn　zuàn
　　　　　cuān　suán　guǎn　kuàn
huān[hoan⁵⁵]

32列目 un[uən]、この音節の母音の組み合わせも元々 uen で、表記に e は入りませんが、発音時には入れます。但しリズムは、三連符ではなく、u＋en[ən]（八分音符二つ）と発音します。音声をまねて発音しましょう。

ドリル67  93

dún　tǔn　lùn　　　zūn　cún　sǔn　gùn　　　kūn

33列目 uang[uɑŋ] は二重母音と鼻音の組み合わせで、リズムは三重母音と同様、三連符です。音声をまねて発音しましょう。

ドリル68  94

guáng　　kuǎng　　huàng[hoɑŋ⁵¹]

4群

この群は下の段から横向きに練習します。基本は重要母音のウムラウトです。4群すべての音節に、ウムラウトが入っていますので、まず音声をまねて復習しましょう。

yū   yú   yǔ   yù

次に、yu の段を左から発音します。

1) 音声をまねて一つずつ全部1声でやってみましょう。

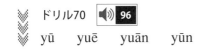

yū   yuē   yuān   yūn

2) 2番目から4番目の音節の発音のコツは、**まず yu を発してそれを確認後、次の音に行く**ということです。決して一度に発音しようとしてはいけません。yue yuan yun の場合、まず yu を発することに全力を注ぎます。それが出たら、安心して次の音に進めば良いのです。リズムは、yū が四分音符一つ、yuē が八分音符二つ、yuān が三連符、yūn が八分音符二つです。yuān の a は口角を引き、舌体が前に来る [a] で、ウムラウトと組む時は時折 [æ] に近いこともあります。この a が日本語の「ア」なのか「エ」なのか論争することは無意味です。日本語ではないのですから。また、yūn で n の直前に**小さな**「イ」を入れるととても美しく響きます。それらを念頭に置いて、もう一度音声をまねて練習してみましょう。

yū   yuē   yuān[yan55]   yūn

次に、xu を練習してみましょう。この音は xi と yu を組み合わせて発します。音声をまねて発音しましょう。yu の構えを崩さず、その構えの中で xi を発します。xu 〜 xun、qu 〜 qun、ju 〜 jun に共通のことですが、**上歯と下歯の前後の位置を合わせる**と舌の位置が安定して都合が良いです。（通常は、上歯が下歯より少し前に出るような嚙み合わせです。）

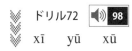
　　ドリル72　🔊 98
　　xī　　yū　　xū

qū jū nǚ lǚ も音声をまねて練習しましょう。

　　ドリル73　🔊 99
　　qī　　yū　　qū　　　　　　jī　　yū　　jū
　　nī　　yū　　nǚ　　　　　　lī　　yū　　lǚ

　x q j n l の段の練習をしましょう。xūn qūn jūn では n の直前に小さな「イ」を入れるととても美しく響きます。また、xuē のようにウムラウト以降に別の成分がある場合、いずれもまず最初の子音＋ウムラウトの段階で、確実にウムラウトが出ていることを確認した上で、次に進むと安全です。（**ドリル74**と**75**はウムラウトを持つ音節と声調を機械的に組み合わせただけで、実際にない音もあります。）

　一つずつ音声について練習しましょう。

　　ドリル74　🔊 100
　　xū　　xuē　　xuān　　xūn
　　qū　　quē　　quān　　qūn
　　jū　　juē　　juān　　jūn
　　nǚ　　nüē
　　lǚ　　lüē

他の声調でも練習しましょう。一つずつ音声について練習しましょう。

ドリル75 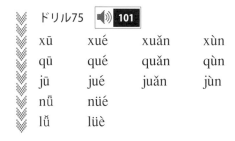 🔊 101

xū	xué	xuǎn	xùn
qū	qué	quǎn	qùn
jū	jué	juǎn	jùn
nǚ	nüé		
lǚ	lüè		

※ 4群の他に、2群の右端の3音節 jiong qiong xiong にもウムラウトを使います。前に来る子音は j q x の3種のみです。yong の yo をやはり（ü＋u）と考える場合もあり、稀にそのように発音する人もいます。

2群の最右端の jiong　qiong　xiong の -iong のスペルと実際の音は異なります。o はふたつに分かれ、i と o の前半が結合してウムラウトになり、後半は u になります。

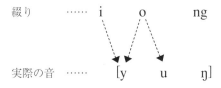

綴り　……　i　　o　　　ng

実際の音　……　　[y　　u　　ŋ]

＊ng で一つの音 [ŋ] を表しています。口の前を開けたまま口の後ろで「ン」を言う感じです。

音声について一つずつ練習してみましょう。

ドリル76  🔊 102

jiōng　　qióng　　xiōng

声調パターンによる音節発音練習（そり舌音なし）

　そり舌音以外の１＋１から４＋軽声までの20パターンの２音節語（または連語）を提示してあります。スラッシュは音節の境界を示しますので、ご注意ください。これまでの練習の成果を総動員して挑戦してください。これらの語は音声重点で選んであり、必ずしも初級で学んだり、日常会話で頻出するものではありませんので、覚える必要はありませんが、声調とピンインは正確に読めるようにしてください。これだけ練習しておけば、日常よく使う語の発音はマスターできるはずです。

　二重母音、三重母音、二重母音＋鼻音で構成されている音節は、日本人学習者が**拗音化**してしまいがちな音ですので、特に注意を要します。とりわけ軽声にそうした要素がある場合、実に容易に拗音になってしまいますので、心して取り組んでください。単語の場合、音節の切れ目に / を入れてあります。2語の場合は、// を入れてあります。

ドリル77 🔊 103

　$\boxed{1+1}$　一番高いところで２回繰り返すか、２回目を少し高くします。

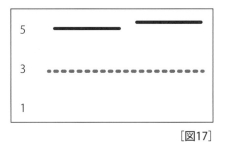

[図17]

Bā / yī（八一）　　**sī** / jī（司机）　　fēi / jī（飞机）　　gōng / **sī**（公司）

yīng / gāi（应该）　**xūn** / **fēng**（熏风）　guān / xīn（关心）　**Tiān** / jīn（天津）

jiāo / tōng（交通）　Xīn / jiāng（新疆）　jiā / xiāng（家乡）　**zēng** / **tiān**（增添）

cān / guān（参观）　xiāng / **yān**（香烟）　guān / guāng（观光）　**biān** / jiāng（边疆）

ドリル78 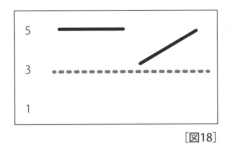 104

1＋2 　2声を高めに始めて、後半力を入れて十分上げることがコツです。

[図18]

ā / yí（阿姨）　　fā / yá（发芽）　　**gē** / **cí**（歌词）　　Bā / qí（八旗）

fā / yáng（发扬）　　**kē** / **xué**（科学）　　**cī** / xiá（疵瑕）　　ān / pái（安排）

gōng / láo（功劳）　　gāng / qín（钢琴）　　**zī** / **yuán**（资源）　　jīn / **nián**（今年）

huān / yíng（欢迎）　　**jiān** / nán（艰难）　　guān / huái（关怀）　　**jiān** / qiáng（坚强）

ドリル79 105

1＋3 　1声は十分高く、3声は十分低くし、高低差を作ることが重要です。

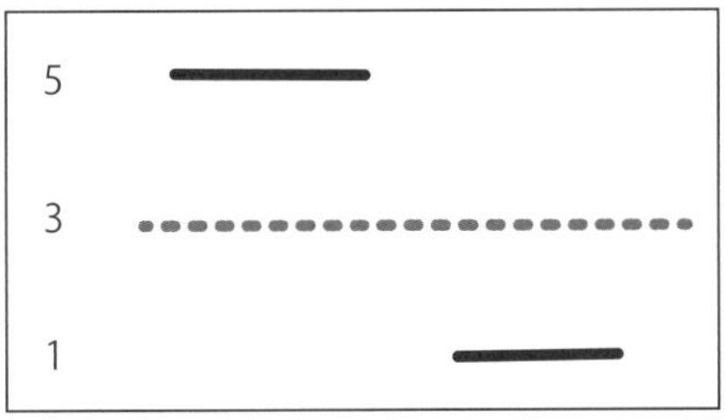

[図19]

jī / lǐ（机理）　　cū / bǐ（粗鄙）　　fū / **zǐ**（夫子）　　gū / kǔ（孤苦）

kū / hǎn（哭喊）　　**sī** / suǒ（思索）　　gāng / bǐ（钢笔）　　**fēng** / **yǔ**（风雨）

tāng / wǎn（汤碗）　　**fēng** / jǐng（风景）　　**gēn** / běn（根本）　　xiāo / sǎ（潇洒）

Xiāng / gǎng（香港）　　**quē** / **diǎn**（缺点）　　tiāo / **xuǎn**（挑选）　　**jiān** / **xiǎn**（艰险）

ドリル80 🔊 106

1 + 4　4声の起点を1声の終点の高さに合わせるのがコツです。

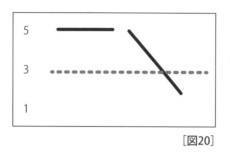

[図20]

hū / **yù**（呼吁）　**kē** / jì（科技）　tū / pò（突破）　**qū** / **yù**（区域）

yī / kào（依靠）　**xū** / yào（需要）　jīng / jì（経済）　gōng / **kè**（功课）

tōng / **xùn**（通讯）　yīn / **yuè**（音乐）　**sī** / **niàn**（思念）　**qiān** / **zì**（签字）

fāng / **biàn**（方便）　jiāo / dài（交代）　guāng / liàng（光亮）　guān / **niàn**（观念）

ドリル81 🔊 107

2 + 1　2声の終点の高さと1声の起点の高さを合わせるようにするのがコツです。
そのためには2声をあまり低く始めないことです。

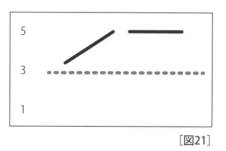

[図21]

bá / **sī**（拔丝）　ní / gū（尼姑）　yá / **kē**（牙科）　qí / tā（其他）

tí / gāo（提高）　lí / kāi（离开）　**hé** / huā（荷花）　tái / **fēng**（台风）

jué / xīn（决心）　huá / bīng（滑冰）　Nán / jīng（南京）　guó / jiā（国家）

míng / **tiān**（明天）　**nián** / qīng（年轻）　**xióng** / māo（熊猫）　liáo / **tiān**（聊天）

ドリル82　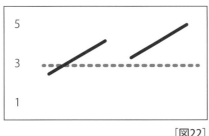 108

2 + 2　最初の2声は起点低めで高低差も小さく、2番目の2声の起点は高めで高低差を大きくします。

[図22]

gé / **jú**（格局）　　mó / hú（模糊）　　wú / dí（无敌）　　fú / **hé**（符合）

cí / pán（磁盘）　　hú / dié（蝴蝶）　　**hé** / píng（和平）　　qí / páo（旗袍）

yóu / **jú**（邮局）　　**xué** / xí（学习）　　táo / **cí**（陶瓷）　　tóng / **méng**（同盟）

yín / háng（银行）　　liú / xíng（流行）　　**yú** / **nián**（余年）　　Huáng / **hé**（黄河）

wán / **quán**（完全）　　líng / **qián**（零钱）　　Liáo / níng（辽宁）　　**lián** / **mián**（连绵）

ドリル83　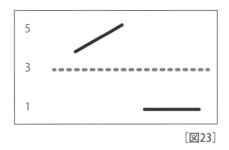 109

2 + 3　多くの場合、この組み合わせの2声と3声の音域は重なりません。すなわち、2声は調値3以上の音域で、3声は調値3より低い音域で発音されるため、高音と低音の差が大きく、ごく単純にいうと「高い、低い」と響き、中国語の美しさが際立つ音の組み合わせです。2声を低い調値で始めてしまうとこの「高い、低い」という響きが得られず、暗い感じになってしまいます。

[図23]

lí / pǔ（离谱）　　zú / yǐ（足以）　　**É** / **yǔ**（俄语）　　jí / tǐ（集体）

pí / jiǔ（啤酒）　　**ér** / qiě（而且）　　píng / guǒ（苹果）　　**xué** / hǎo（学好）

qíng / jǐng（情景）　　yóu / yǒng（游泳）　　péi / yǎng（培养）　　tóu / **děng**（头等）

quán / tǐ（全体）　　yáo / **yuǎn**（遥远）　　míng / **xiǎn**（明显）　　hóng / **liǎn**（红脸）

ドリル84 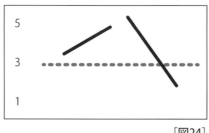 110

2 + 4　4声の起点を2声の終点より少し高めにするのがコツです。

[図24]

yí / lù （一路）　　nú / lì （奴隷）　　hé / bì （何必）　　zá / jì （杂技）

cí / dài （磁帯）　　jié / mù （节目）　　guó / qìng （国庆）　　huó / dòng （活動）

xué / wèi （学位）　qiáng / lì （强力）　Fú / jiàn （福建）　yú / kuài （愉快）

yóu / piào （邮票）　míng / piàn （名片）　liáo / luàn （缭乱）　huái / niàn （怀念）

ドリル85 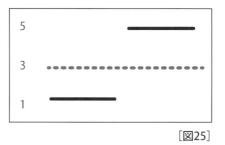 111

3 + 1　高低差を大きく取りましょう。

[図25]

Wǔ / yī （五一）　　yǔ / yī （雨衣）　　kě / xī （可惜）　　qǐ / fā （启发）

xǔ / duō （许多）　　pǔ / tōng （普通）　　kǎi / gē （凯歌）　　Běi / jīng （北京）

hǎi / jūn （海军）　　hěn / xīn （狠心）　　guǎng / bō （广播）　　měi / tiān （每天）

jiǎn / dān （简単）　　duǎn / quē （短缺）　　xiǎng / tōng （想通）　　liǎng // qiān （两千）

ドリル86 🔊 **112**

3＋2　3声の終点と2声の起点は同じ低さの音にするので、2声に入る時、起点で音程を上げないように注意しましょう。この場合、3声の調値が11なら2声の調値変化は13くらいですし、3声の調値が22なら2声の調値変化は24くらいです。

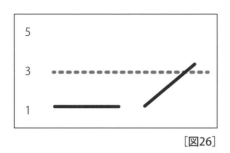

［図26］

yǐ / jí（以及）　　bǔ / xí（补习）　　fǎ / **zé**（法则）　　qǐ / tú（企图）

yǐ / lái（以来）　　**kě** / **néng**（可能）　　**lǚ** / xíng（旅行）　　**děng** / **yú**（等于）

jiě / **jué**（解决）　　yǒu / míng（有名）　　**yǔ** / **yán**（语言）　　biǎo / dá（表达）

tiě / qiáo（铁桥）　　hǎi / **mián**（海绵）　　**diǎn** / tóu（点头）　　**yǎn** / **yuán**（演员）

ドリル87 🔊 **113**

3＋3→2＋3　この組み合わせは、最初の3声が2声に転調し、2＋3と発音します。但し、元3声なので、起点は少し低めで3声の特色を残しています。

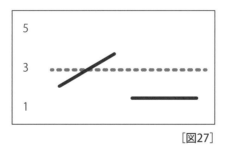

［図27］

qǐ / mǎ（起码）　　**yǔ** / fǎ（语法）　　gǔ / wǔ（鼓舞）　　hǔ / gǔ（虎骨）

fǔ / dǎo（辅导）　　**kě** / kǒu（可口）　　suǒ / yǐ（所以）　　yě / **xǔ**（也许）

yǒu / hǎo（友好）　　zǎo / wǎn（早晚）　　lǐ / xiǎng（理想）　　**diǎn** / lǐ（典礼）

lǐng / dǎo（领导）　　yǒng / gǎn（勇敢）　　biǎo / **yǎn**（表演）　　**jiǎn** / **miǎn**（减免）

※3声＋元3声の場合、次の**例25**のように変調が残り、2声＋軽声になることがあります。

【例25】 🔊 114

　hǎi / li（海里）→　hái / li　　　kě / yi（可以）→　ké / yi

ドリル88 🔊 115

3 + 4　音節の切れ目の高低差を大きく取りましょう。

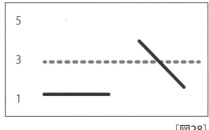

［図28］

gǔ / lì（鼓励）　　dǔ / sè（堵塞）　　zǐ / dì（子弟）　　qǐ / yè（企业）

Lǔ / Xùn（鲁迅）　měi / lì（美丽）　cǎi / gòu（采购）　bǎo / bèi（宝贝）

bǐ / jiào（比较）　jiě / fàng（解放）　kǒu / hào（口号）　lǐng / xiù（领袖）

xuě / piàn（雪片）　zǒng / suàn（总算）　gǎn / kuài（赶快）　xiǎng / niàn（想念）

ドリル89 🔊 116

4 + 1

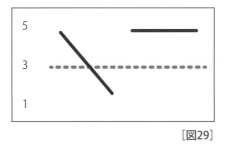

［図29］

zì / fā（自发）　　dà / gē（大哥）　　dì / qū（地区）　　bì / xū（必须）

dà / jiā（大家）　yòng / gōng（用功）　tàn / qīn（探亲）　duì / fāng（对方）

fàng / sōng（放松）　yù / xiān（预先）　miàn / jī（面积）　bàn / tiān（半天）

diàn / dēng（电灯）　miàn / bāo（面包）　xiàng / jiāo（橡胶）　biàn / qiān（变迁）

ドリル90　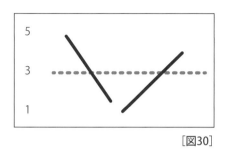　117

4 + 2　2声の起点を4声の終点より少し下げ、高低差を大きくしましょう。

[図30]

è / **yú** （鳄鱼）　**kè** / fú （克服）　dì / tú （地图）　dà / **xué** （大学）

zì / cóng （自从）　**jù** / **jué** （拒绝）　**tè** / bié （特别）　wèn / tí （问题）

hòu / lái （后来）　qià / tán （洽谈）　cài / yóu （菜油）　Dà / **lián** （大连）

liàn / xí （练习）　guò / **nián** （过年）　jiàng / yóu （酱油）　suàn / miáo （蒜苗）

ドリル91　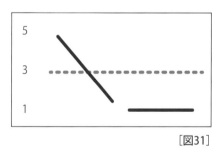　118

4 + 3　4声は思い切って下げ、3声の起点を4声の終点より少し下げます。

[図31]

dì / lǐ （地理）　**zì** / jǐ （自己）　**yù** / mǐ （玉米）　fù / **zǐ** （父子）

sè / cǎi （色彩）　hào / mǎ （号码）　xià / wǔ （下午）　**yùn** / mǔ （韵母）

wèn / hǎo （问好）　**jù** / **diǎn** （据点）　**xiàn** / fǎ （宪法）　pài / **qiǎn** （派遣）

diàn / yǐng （电影）　xiàng / wǎng （向往）　duàn / tiě （锻铁）　**jiàn** / **xiǎn** （渐显）

ドリル92 🔊 119

4 + 4 ①二つ目の４声は最初の４声より起点が高く、高低差も大きくします。

②最初の４声が二つ目より起点高く、高低差を大きくします。

音声を聞いてどちらか判断しながら発音練習しましょう。

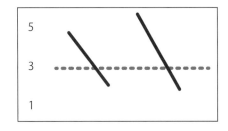 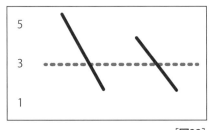

[図32]

fù / **yù**（富裕）　lì / **kè**（立刻）　**tè** / **sè**（特色）　hàn / **zì**（汉字）

wù / huì（误会）　bì / yè（毕业）　lìng / wài（另外）　**sì** / **yuàn**（寺院）

diàn / huà（电话）　zài / **jiàn**（再见）　gòng / **xiàn**（贡献）　duì / **miàn**（对面）

jìn / liàng（尽量）　duàn / **liàn**（锻炼）　**jiàn** / **miàn**（见面）　**juàn** / **niàn**（眷念）

以下の４種の組み合わせでは、dōng / biān（东边）のように軽声でない場合もあります。

ドリル93 🔊 120

1 +軽 軽声は１声の終点より低めにつけます。

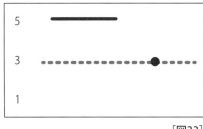

[図33]

wū / **zi**（屋子）　yī / fu（衣服）　bō / li（玻璃）　**gē** / **ge**（哥哥）

wō / **peng**（窝棚）　mī / **feng**（眯缝）　bēi / **zi**（杯子）　fēn / xi（分析）

xiū / xi（休息）　xī / **bian**（西边）　xiāo / xi（消息）　guān / **si**（官司）

tiān / qi（天气）　**yuān** / wang（冤枉）　dōng / **bian**（东边）　xīn / **xian**（新鲜）

ドリル94 🔊 121

2＋軽　軽声は2声の終点より低めにつけます。

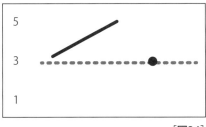

［図34］

é / **zi**（蛾子）　　wá / wa（娃娃）　　ná // lai（拿来）　　pú / tao（葡萄）

bié // **de**（別的）　　**jué** // **de**（覚得）　　wén / **zi**（蚊子）　　**xún** / **si**（尋思）

yé / ye（爷爷）　　cái / **feng**（裁縫）　　huí // lai（回来）　　**yún** / cai（云彩）

péng / you（朋友）　　**lián** / **peng**（莲蓬）　　**qián** / tou（前头）　　líng / **bian**（灵便）

ドリル95 🔊 122

3＋軽　軽声は3声の終点より高めにつけます。

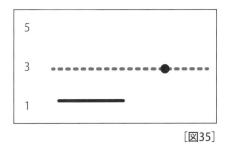

［図35］

yǐ / **zi**（椅子）　　**nǚ** / **xu**（女婿）　　xǐ / **que**（喜鹊）　　nǐ / men（你们）

yǐ / jing（已经）　　běn / **zi**（本子）　　zěn // **me**（怎么）　　jiě / jie（姐姐）

nǎi / nai（奶奶）　　xǐ / huan（喜欢）　　xǐ / **qian**（喜钱）　　běi / **bian**（北边）

nuǎn / huo（暖和）　　**yǎn** / jing（眼睛）　　jiǔ / **qian**（酒钱）　　jiǎo / **qian**（脚钱）

ドリル96 🔊 **123**

4＋軽　4声＋軽声は、**全体的に下降調**になるよう発音すること。

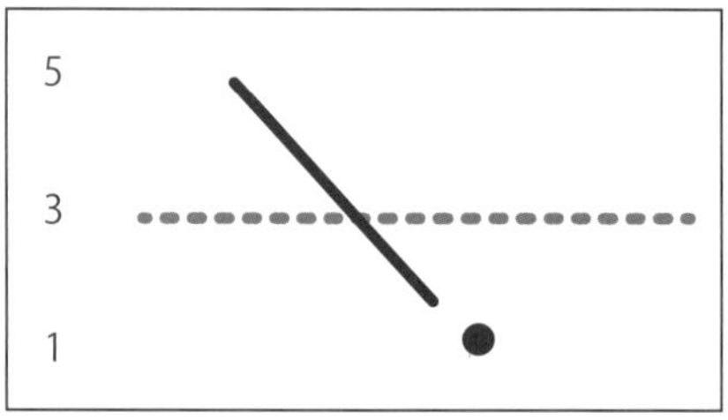

[図36]

bà / ba （爸爸）　　**gè** / **ge** （各个）　　**jù** / **zi** （句子）　　**kè** / qi （客气）

yì / **si** （意思）　　wà / **zi** （袜子）　　bù / fen （部分）　　dì / fang （地方）

cuò / wu （错误）　　gàn / bu （干部）　　xiè / xie （谢谢）　　tài / yang （太阳）

juàn / **zi** （绢子）　　**yuè** / liang （月亮）　　hòu / **bian** （后边）　　piào / liang （漂亮）

そり舌音

　そり舌音は巻舌音とも呼ばれていますが、両者は厳密に言うとその調音方法[注1]と響きが異なります。そり舌音は舌端の表面（ザラザラした面）が上向きで歯茎付近に接近、あるいは接触するのです。図37（朱川1997）の上側は zh ch sh r 4種の断面図です。下側は同4種の口蓋図（頭上からの投影図）で、上辺が前歯、下辺が軟口蓋辺りで、斜線部分は舌が上顎のどの部分に接触しているかを表しています。これを見れば、舌の左右辺縁が途切れずに自然に上顎に接触しているのが分かるので、これはそり舌音であることが明瞭です。

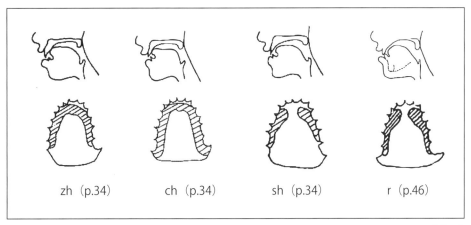

zh（p.34）　　ch（p.34）　　sh（p.34）　　r（p.46）

zh ch の最初の構えと sh r の調音正中断面図および各口蓋図　（参考：朱川1997）　　　　　　　　　［図37］

　そり舌音・巻舌音はくぐもった音がその特徴であり、また魅力です。ただ、巻舌音の方がくぐもり音が強く、また歴史的にいっても、巻舌音という名称の方が先で、そり舌音は後のようです。響きではそり舌音より巻舌音の方に軍配が上がるものの、接触や接近をしっかりするなど工夫次第でそり舌音でもかなり強いくぐもり音を発することができ、また前後の音声環境に即時に適応するための舌の運用を考慮すれば、舌の前部を下げる動作に移る場合など、他の調音との連続が容易という点で、私は巻舌音よりそり舌音の方が適していると考えるので、やはりそり舌音を推奨します。では具体的にそり舌音の調音を練習しましょう。そり舌音は全体的に比較的強い呼気を必要としますが、口の外に出る呼気が強ければ良いのではなく、まず口腔の中で**強い呼気を何かにぶつけるか、何かと何かの間を通過させるかが重要**であって、口の外に出る呼気はその結果に過ぎません。口腔で小さな呼気の嵐を起こすつもりでやると良いと思います。
　shi ri chi zhi の調音方法は次の通りです。

注1　調音：音声を作る際、声帯より上の音声器官を使う方法をいう。発音とは一般に言語音を発することをいう。

shi
[ʂɹ̩]

[ʂ] は無声の摩擦音。まず英語で three という際の最初の音 [θ] を発してみてください。上歯と舌端の間に隙間がありその左右端は上下で軽く接触していますね。その接触と呼気の発し方を維持しつつ、4、5回に分けて狭めの位置を次第に口の奥に移動し、舌尖が上歯茎付近に接近したら、舌左右辺縁がしっかりと硬口蓋から軟口蓋にかけて付着している状態で、速さと強さのある呼気をその隙間に通せば、中国語の shi になります。

【例26】 🔊 **124**
[θ] 〜 [ʂɹ̩]

子音 sh[ʂ] は無声摩擦音ですが、この音の発音直後、すぐに有声母音 [ɹ̩] も出現します。しかし、この摩擦音は消えずに、有声の [ɹ̩] と両立しつつ音節のほぼ最後まで続きます。無声段階で無声母音 [ɹ̩] は [ʂ] にすでに含まれており、逆に言えば、この無声母音 [ɹ̩] なしに sh[ʂ] を発音することは不可能なのです。

もし上記の方法で shi がうまく出ない場合、下記の方法を試してみましょう。そり舌音4種 zhi chi shi ri に共通です。ただし、zhi chi の2種は破擦音（破裂＋摩擦）ですから、その口蓋図は破裂直前の閉鎖時のみで、破裂後は shi ri のようになります。

1）**口角は横に引かない**方が良く、むしろ唇で大きい円を作り、その円唇を**少し突き出す**ようにし、口腔全体で**前後方向に伸ばす**ようにすると、口腔が細長くなり、共鳴効果が上がって少ない呼気でも強いくぐもり音が出ます。口角を引かないと -i の音が出なくなると心配する必要はありません。なぜならこの母音は zh ch sh r が正しく出れば、その中に含まれているからです。この母音 -i[ɹ̩] を私が**「おまけのアイ」**と呼ぶ所以です。この母音の狭めの位置は、zi ci si（**「偽りのアイ」**）の時に出る舌尖母音 [ɹ̩] と、2群の前舌母音 [i]（**「まことのアイ」**）の中間にあり、zh ch sh r この**4種の子音の調音部位と重なる**ので、子音と母音が**長時間重複**します。

2）両頬の内側に力を入れて、**舌と口蓋で囲まれた空間を左右方向に狭め**、また**軟口蓋の最奥部を下げて**軟口蓋と後舌で囲まれた空間を左右上下から狭める方法もくぐもり音の共鳴度を高めます。

3）同時に上歯茎と舌端で作られた隙間のやや後ろ（硬口蓋の前端）を目がけて呼気を吹き付けると、呼気が安全に効率良く隙間を通り抜けるので、より良いくぐもり音が生まれます。

4）舌の凹みが足りない、もしくは**図37**中の斜線部がきちんと閉鎖されていない場合明確なくぐもり音が出ないことが多いので、気をつけましょう。

ri [ʐɻ]	有声の摩擦音。中国語子音中唯一の有声音。**図37**の**正中断面図中の狭めを shi の場合より、やや後方**に移し、口蓋帆を下げ、**声帯振動を伴って**（日本語「**り**」に**濁点**を付ける感じ）**強めの呼気**で摩擦音を発します。 【例27】 🔊 125 [ʐɻ]

音声表記から考えると、shi とペアをなすような印象がありますが、調音部位は確実に異なるので、**有声／無声のペアをなしません**。声門下の呼気が、ゆるく閉じた声門を突破し（声帯振動発生）、さらに口腔の狭めを摩擦しつつ通過するので、音色の印象に似合わず**かなり強い呼気が必要**です。コツは、上記１）〜３）を忠実に実行することに加え、声帯振動をしっかり行なうことが重要です。これも最初から最後まで摩擦音と母音です。

sh や r が２音節目にあってしかもその調音がうまく行かない時、こんな裏ワザがあります。sh や r を１音節目の末尾にあるように、つまり "kāi / shǐ（开始）" なら "kāish / ǐ"、"suī / rán" なら "suīr / án" のように早めに発し、続く有声母音につなげれば良いのです。これは sh も r も摩擦音だからできることで、次の zh や ch は破擦音（破裂音＋摩擦音）なので、この裏ワザは使えません。１音節目であっても、shi ri 以外であれば、sh r を早めに発して次の有声母音につなげることができます。

chi [tʂʰɻ]	無声有気音。shi や ri と異なり、最初は破裂音で、直後摩擦音になるので、日本語の「チー」の発し方に似ていますが、舌の形状、強いくぐもり音および強い呼気音があるところが違います。最初の構えは**図37**の通り、舌辺縁をグルッと上歯のすぐ内側につけますが、この時は呼気を溜めているだけでまだ音声は発しません。**声門は開き、声門下から押し上げる感じで口腔内の圧を高めてから、舌尖を上歯端から離すと同時に強い呼気を発して摩擦を起こします**。必ず**明瞭な呼気音**を伴います。 【例28】 🔊 126 [tʂʰɻ]

摩擦時は、**図37**の sh や r の状態とほぼ同様です。chi の場合もコツは**口角を横に引かず、口腔内の形状を前後方向に細長くし、呼気を調音部位よりやや手前に吹き付ける**ことです。

zhi [tʂɻ]	無声無気音。chi と似ているのですが、呼気音が聞こえない点が異なります。舌辺縁で閉鎖を作り、しかも声門閉鎖をするので chi より閉鎖空間がずっと小さいです。声門辺りから前方の閉鎖空間を押す感じで内部の圧を高め「チー」のように破裂させた直後、声門を開いて摩擦音を発します。 【例29】 🔊 127 [tʂɻ]

zhi chi がうまく発音できないのは、

1）舌を離すタイミングが早すぎる。
2）圧が足りない。

などが考えられます。内部の圧を高めて満を持して破裂させる気持ちだとうまく行くと思います。

どうしてもこの４種のそり舌音がうまく発出できない時、あるいはくぐもり音が不足している感じの時は、**巻舌音**（舌を巻き上げ舌尖裏を歯茎につける）の方法を試すことにより、**くぐもり音の響きを体験**して改めてそり舌音の練習にもどるというのも一つの方法です。

上記４種の音 zhi chi shi ri は、子音と母音がかなり長い間両立します。たとえば zhī と jī を比べると

【例30】  128

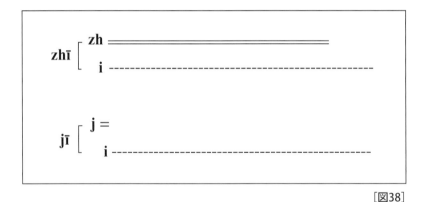

[図38]

のようになり、ji の場合すぐに j が消えて i だけ残りますが、zhi の場合 zh は i が加わっても音節終了間際まで続くのです。**例30**の音声を聞いてみてください。他の３種も同様ですので、zhi chi shi ri ４種を発音する時は、子音の摩擦音を持続させるため、**1）構えを変えない 2）呼気を吐き続ける** この２点が大変重要です。この４種以外のそり舌音、たとえば zhe chu sha rou を発音する場合、そり舌音の発音前に最初の母音の構えをできるだけ準備した方が良いです。

そり舌音の基本の音４種を声調を付けて練習をしましょう。１群の**４列目**です。

ドリル97 129
zhī   chí   shǐ   rì

　3列目は上記4種の音と e[ɤ] との組み合わせです。音声をまねて練習しましょう。コツは**子音を発音する前に口腔の奥で e の構えをできるだけ準備しておくことです。**

　ドリル98　　130
　zhī+ē → zhē　　　　chī+ē → chē　　　　shī+ē → shē　　　　rī+ē → rē
　　　　　　↑ここでなるべく e を準備

では音声をまねて一つずつ声調をつけて発音練習しましょう。

　ドリル99　　131
　zhē　　ché　　shě　　rè

　14列目はこの四つの音に ng[ŋ] をつければ良いだけです。音声をまねて発音してみましょう。その時大事なのは、まず zhē だけを発音するつもりになることで、それが出たことを確認できたら、安心して ng[ŋ] に移れば良いのです。

　ドリル100　　132
　zhēng　　chéng　　shěng　　rèng

　1列目はなかなか手強い音です。なぜなら、zh ch sh r は閉鎖的な発音ですが、a[ɑ] は開放的な発音なので、両者を合わせることが難しいのです。rā は実在しませんが、後でこの音を一部とする音節が出てくるので、練習しておきます。

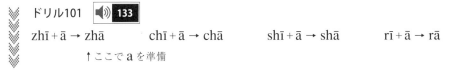
　ドリル101　　133
　zhī+ā → zhā　　　　chī+ā → chā　　　　shī+ā → shā　　　　rī+ā → rā
　　　　　　↑ここで a を準備

　9列目 -ao と**13列目** -ang では上記4種の音を使います。

　ドリル102　　134
　zhāo　cháo　shǎo　rào　　　　　zhāng　cháng　shǎng　ràng

　7列目 -ai と**11列目** -an では、「前舌の a」[a] とそり舌音の組み合わせです。

　ドリル103　　135
　zhāi　chái　shǎi　　　　　zhàn　chān　shán　rǎn

残り **8列目** -ei、**10列目** -ou、**12列目** -en、**15列目** -ong も練習しましょう。

ドリル104  136

zhēi　shéi　zhǒu　chòu　　shōu　róu　　zhěn　chèn
shēn　rén　zhǒng　chòng　　rōng

3群のそり舌音は、**26行目** -u が基本となります。

 ドリル105  137

zhī+ū → zhū　　　　chī+ū → chū　　　　shī+ū → shū　　　　rī+ū → rū
　　　　↑ここでなるべく u を準備

27行目 -ua、**28行目** -uo、**29行目** -uai、**30行目** -ui、**31行目** -uan、**32行目** -un、**33行目** -uang は zhu chu shu ru を最初に発音すれば、楽勝です。コツはその四つをまず注意して発音し、発音できたことを確認後、次の母音に進めば良いのです。

 ドリル106  138

	zhuá	chuǎ	shuà	
zhuō	chuó	shuǒ	ruò	
zhuāi	chuái	shuǎi	zhuì	
chuī	shuí	ruǐ	zhuàn	
chuān	shuán	ruǎn	zhùn	
chūn	shún	rǔn	zhuàng	
chuāng	shuáng			

次は実際に2音節語で練習してみましょう。

単語の場合、音節の切れ目に / を入れてあります。2語の場合は、// を入れてあります。

ドリル107 🔊 139

| 1 + 1 | 一番高いところで2回繰り返すか、2回目を少し高くします。

xū / zhī （须知）　　zhī / zhū （蜘蛛）　　tū / chū （突出）

qū // **chē** （驱车）　　Sū / zhōu （苏州）　　chū / chāi （出差）

zhēn / zhū （珍珠）　　**zhēng** / fā （蒸发）　　shāo / wēi （稍微）

chūn / **tiān** （春天）　　zhāi / **biān** （摘编）　　**xuān** / **chēng** （宣称）

tiān / zhēn （天真）　　shuāng / fāng （双方）　　zhuāng / xiū （装修）

duān / zhuāng （端庄）

ドリル108 🔊 140

| 1 + 2 | 2声を高めに始めて、後半力を入れて十分上げることがコツです。

yī / shí （衣食）　　chā / **é** （差额）　　chū / **gé** （出格）

sī / zhú （丝竹）　　**sī** / cháo （思潮）　　tū / rán （突然）

chāo / jí （超级）　　**shēng** / huó （生活）　　dāng / rán （当然）

xiū / **chéng** （修成）　　**chē** / **qián** （车钱）　　fān / chuán （帆船）

zhōng / **nián** （中年）　　guāng / róng （光荣）　　shuāng / chóng （双重）

zhuāng / **yán** （庄严）

ドリル109 🔊 141

1 + 3　1声は十分高く、3声は十分低くし、高低差を作ることが重要です。

shū / fǎ（书法）　　zhī / jǐ（知己）　　shē / chǐ（奢侈）

qū / shǐ（驱使）　　kāi / shǐ（开始）　　shēn / tǐ（身体）

zhēng / qǔ（争取）　shēng / sǐ（生死）　gōng / chǎng（工厂）

bān / zhǎng（班长）　quē / shǎo（缺少）　zhuān / wǎ（砖瓦）

jiān / rǎn（渐染）　　chuāng / kǒu（窗口）　chuān / kǒng（穿孔）

xiān / shǒu（先手）

ドリル110 🔊 142

1 + 4　4声の起点を1声の終点の高さに合わせるのがコツです。

jī / zhì（机制）　　zī / shì（姿势）　　chā / jù（差距）

shū / shì（舒适）　　chē / zhàn（车站）　shī / wàng（失望）

zhēn / shì（珍视）　yuē / shù（约束）　chūn / mèng（春梦）

zhōng / yào（中药）　shēn / zào（深造）　zhēn / guì（珍贵）

zhuān / yè（专业）　duān / zhèng（端正）　shēng / biàn（生变）

shuāng / miàn（双面）

ドリル111 🔊 143

2 + 1　2声の終点の高さと1声の起点の高さを合わせるようにするのがコツです。そのためには2声をあまり低く始めないことです。

tú / shū（图书）　　rú / qī（如期）　　chú / shī（厨师）

zhá / jī（炸鸡）　　pá / shān（爬山）　huá / chē（滑车）

réng / xū（仍须）　　chén / sī（沉思）　wén / zhāng（文章）

suí / shēn（随身）　chéng / bāo（承包）　rén / gōng（人工）

rán / shāo（燃烧）　Cháng / jiāng（长江）　chuán / bō（传播）

lián / zhuāng（连庄）

ドリル112　🔊 **144**

2 + 2

shú / xí （熟习）　　　　**cí** / shí （磁石）　　　　fú / chí （扶持）

rú / shí （如实）　　　　**zhé** / rén （哲人）　　　shí / táng （食堂）

zhí / xíng （执行）　　　**xún** / chá （巡查）　　　shén / qí （神奇）

jué / shí （绝食）　　　rén / mín （人民）　　　Cháng / **chéng** （长城）

chén / zhuó （沉着）　　**chéng** / **yuán** （成员）　　**mián** / róng （棉绒）

chuán / rén （传人）

ドリル113　🔊 **145**

2 + 3　　2声は高い音域で発音し、3声の始めでストンと落とします。

tú / zhǐ （图纸）　　　　yí / shǔ （遗属）　　　　rú / **cǐ** （如此）

chú / fǎ （除法）　　　　chá / shuǐ （茶水）　　　shí / pǐn （食品）

tíng / zhǐ （停止）　　　**chéng** / **yǔ** （成语）　　**yún** / **zhěng** （匀整）

chéng / zhǎng （成长）　fú / ruǎn （服软）　　　**lián** / shǔ （联署）

cháng / jiǔ （长久）　　　**tián** / shuǐ （甜水）　　chuán / tǒng （传统）

xióng / zhǎng （熊掌）

ドリル114　🔊 **146**

2 + 4　　4声の起点を2声の終点より少し高めにするのがコツです。

hé / shì （合适）　　　**yú** / chì （鱼翅）　　　zá / zhì （杂志）

shí / **qù** （识趣）　　　zhí / yè （职业）　　　　chí / dào （迟到）

xún / shì （巡视）　　　rán / hòu （然后）　　　**qún** / zhòng （群众）

jué / chàng （绝唱）　　wéi / rào （围绕）　　　chén / zhòng （沉重）

shéng / **diàn** （绳垫）　**lián** / zhuì （连缀）　　chuán / dòng （传动）

tián / rùn （甜润）

ドリル115 🔊 147

3 + 1 高低差を大きく取りましょう。

kǎ / **chē**（卡车）   zǔ / zhī（组织）   zhǐ / chū（指出）

rǔ / zhū（乳猪）   **Nǔ** / zhēn（女真）   **xǔ** / shēn（许身）

huǒ / **chē**（火车）   lǎo / shī（老师）   Shǎn / xī（陕西）

shǒu / dū（首都）   jǐn / zhāng（紧张）   chǎng / jiā（厂家）

shuǐ / **kēng**（水坑）   ruǎn / **fēng**（软风）   **diǎn** / zhāng（典章）

jiǎn / zhuāng（简装）

ドリル116 🔊 148

3 + 2 3声の終点と2声の起点は同じ低さの音にするので、2声に入る時、起点で音程を上げないように注意しましょう。この場合、3声の調値が11なら2声の調値変化は13くらいですし、3声の調値が22なら2声の調値変化は24くらいです。

gǔ / shí（古时）   shǔ / **yú**（属于）   zhǔ / chí（主持）

rǔ / mí（乳糜）   chǔ / fá（处罚）   **sǐ** / chén（死沉）

qǔ / cháng（取偿）   jiǎ / rú（假如）   shǒu / tí（手提）

zhěng / chú（整除）   shuǐ / ní（水泥）   huǒ / chái（火柴）

měng / rán（猛然）   **xuě** / rén（雪人）   qǐ / chuáng（起床）

xiǎn / rán（显然）

ドリル117 🔊 149

3 + 3 → 2 + 3 この組み合わせは、最初の3声が2声に転調し、2 + 3と発音します。但し、元3声なので、起点は少し低めで3声の特色を残しています。

wǔ / rǔ（侮辱）   chǐ / mǎ（尺码）   **qǔ** / **shě**（取舍）

jǔ / zhǐ（举止）   bǎ / shǒu（把手）   **lǚ** / zhǎng（旅长）

zhǐ / hǎo（只好）   **yǔ** / shuǐ（雨水）   shuǐ / guǒ（水果）

zhǎn / lǎn（展览）   **zhěng** / **zhěng**（整整）   chǎng / zhǎng（厂长）

diǎn / shǒu（点手）   guǎng / chǎng（广场）   shǒu / biǎo（手表）

ruǎn / guǎn（软管）

ドリル118 🔊 150

3 + 4　音節の切れ目の高低差を大きく取りましょう。

zhǔ / yì（主义）　　nǔ / shì（女士）　　dǐ / chù（抵触）

shǔ / rè（暑热）　　lǔ / shè（旅社）　　Lǚ / shùn（旅顺）

shuǐ / kù（水库）　　zhǔn / què（准确）　　lǒng / zhào（笼罩）

biǎo / shì（表示）　　chǎo / miàn（炒面）　　ruǎn / yìng（软硬）

zhuǎn / ràng（转让）　　xiǎng / shòu（享受）　　xuǎn / rèn（选任）

zhuǎn / biàn（转变）

ドリル119 🔊 151

4 + 1

qì / chē（汽车）　　yù / zhī（预知）　　lǜ / shī（律师）

rì / chū（日出）　　zhì / jīn（至今）　　cì / shēng（次生）

ròu / sī（肉丝）　　shàng//bān（上班）　　zhèng / zōng（正宗）

rèn / zhēn（认真）　　chèn / shān（衬衫）　　chàng / tōng（畅通）

xiàng / zhēng（象征）　　zhòng / chuāng（重创）　　shuài / xiān（率先）

guàn / chuān（贯穿）

ドリル120 🔊 152

4 + 2　2声の起点を4声の終点より少し下げ、高低差を大きくしましょう。

yì / zhí（一直）　　là / zhú（蜡烛）　　shù / zhí（数值）

chè / chú（撤除）　　gù / rán（固然）　　rè / qíng（热情）

què / shí（确实）　　zhòu / wén（皱纹）　　chàng / tán（畅谈）

zhì / liáo（治疗）　　rì / yuán（日元）　　diào / chá（调查）

shuài / zhí（率直）　　ràng // xián（让贤）　　zhuàng / nián（壮年）

chuàn / lián（串联）

ドリル121　🔊 153

4＋3　4声は思い切って下げ、3声の起点を4声の終点より少し下げます。

lì / shǐ（历史）　　　dì / zhǐ（地址）　　　zì / chǔ（自处）

Rì / běn（日本）　　　sì / chǎn（寺产）　　　wò / shǒu（握手）

tè / zhǒng（特种）　　　bào / zhǐ（报纸）　　　huò / zhě（或者）

shàng / wǔ（上午）　　　dòng / shǒu（动手）　　　chàng / dǎo（倡导）

xiàn / zhǐ（限止）　　　juàn / shǔ（眷属）　　　shòu / jiǎng（授奖）

diàn / chǎng（电厂）

ドリル122　🔊 154

4＋4　①二つ目の4声は最初の4声より起点を高く、高低差も大きくします。
　　　②最初の4声が二つ目より起点高く、高低差を大きくします。
　　　音声を聞いてどちらか判断しながら発音練習しましょう。

shì / jì（世纪）　　　xù / shù（叙述）　　　zhù / yì（注意）

zì / shù（自述）　　　rè / ài（热爱）　　　shè / huì（社会）

zhì / zào（制造）　　　shàng / kè（上课）　　　jiè / shào（介绍）

zhèng / què（正确）　　　shùn / biàn（顺便）　　　ròu / piàn（肉片）

zhào / xiàng（照相）　　　chuàng / huì（创汇）　　　jiàn / zhuàng（健壮）

zhuàng / kuàng（状况）

以下の4種の組み合わせでは、bāng / zhù（帮助）のように軽声でない場合もあります。

ドリル123　🔊 155

1＋軽　軽声は1声の終点より低めにつけます。

tā / shi（踏实）　　　zhī / shi（知识）　　　qīng / chu（清楚）

bāng / zhu（帮助）　　　rēng // de（扔的）　　　jiē / shi（结实）

zhē / teng（折腾）　　　zhī / cheng（支撑）　　　chū // lai（出来）

shān // shang（山上）　　　fēng / sheng（风声）　　　fēng / shui（风水）

fēng / zheng（风筝）　　　chuāng / hu（窗户）　　　zhuāng / jia（庄稼）

shāng / liang（商量）

ドリル124 🔊 156

2＋軽　軽声は2声の終点より低めにつけます。

bú // shi（不是）　　shí / tou（石头）　　shí / hour（时候儿）

chéng / ji（成绩）　　**chéng** / **zi**（橙子）　　chuí / **zi**（锤子）

sháo / **zi**（勺子）　　**shéng** / **zi**（绳子）　　ráo / tou（饶头）

xué / **sheng**（学生）　　**xián** / **zhe**（闲着）　　**nián** / **cheng**（年成）

shén / **xian**（神仙）　　chuán / **qian**（船钱）

ドリル125 🔊 157

3＋軽　軽声は3声の終点より高めにつけます。

shě / **de**（舍得）　　chǐ / **zi**（尺子）　　shǎ / **zi**（傻子）

zhǔ / ren（主人）　　bǎi / **she**（摆设）　　**shěng** / **de**（省得）

běn / **zhe**（本着）　　chǎng / **zi**（厂子）　　zǎo / shang（早上）

wǎn / shang（晚上）　　wǎng / shang（网上）　　fǎn / **zheng**（反正）

xiǎn / **zhe**（显着）　　**diǎn** / zhui（点缀）　　shǎng / **qian**（赏钱）

ドリル126 🔊 158

4＋軽　**全体的に下降調**になるように発音しましょう。

gù / shi（故事）　　shì / **zi**（柿子）　　**rè** / nao（热闹）

kè / ren（客人）　　**yù** / shai（玉色）　　dàn / shi（但是）

shòu / **zi**（瘦子）　　rèn / shi（认识）　　yào / shi（要是，钥匙）

shàng / **si**（上司）　　zhào / gu（照顾）　　jiè / shao（介绍）

lèng / **zheng**（愣怔）　　huài / chu（坏处）　　shàng / **bian**（上边）

zhuàng / **yuan**（状元）

アル化

表記：

　漢字表記は通常の音節に "儿" を付け、ピンイン表記は末尾に r をつけます（たとえば、花儿 huār）が、"儿" 自身は独立した音節を作らず、元の音節と結合して新しい音節を作ります。これを「アル化（儿化韵）érhuàyùn」と言いますが、すべての音節に起こるとは限りません。独立した音節 "儿 ér" "而 ěr" "二 èr" などとは異なります。アル化は名詞に多いですが、動詞（たとえば、"玩儿"）、形容詞や副詞（たとえば、"好好儿"）、量詞（たとえば、"条儿"）にもあります。

発音：

　発音は、[r] と [ɚ] の２種です。[ɚ] の場合、[ə] から出発し、舌尖を後方に向かってそり上げ、最終的には歯茎から硬口蓋前部にかけての部分の下方で止めます。舌は全体に少し後方に移動し、両頬の内部はやや内側に寄ります。[r] の場合、直前の母音（たとえば [ɑ] など）から直接最終位置に移行しますが、この時 [ə] を通るとは限りません（図39）。r の直前部が脱落しない場合、元の韻母部分は [r][ɚ] がつくために時間的に短くなります。

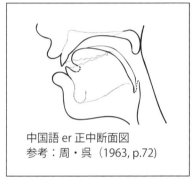

中国語 er 正中断面図
参考：周・呉（1963, p.72）

[図39]

役割と効果：

1）－1　小ささ・かわいさ・好ましさを示す。（指小辞＊）。……花儿，鸟儿

> ＊指小辞（ししょうじ）
> 英語では、-et -ette -let などが指小辞で、下記のような例があります。
> trump（らっぱ）＞ trumpet（トランペット）
> cigar（葉巻）＞ cigarette（たばこ）
> book（本）＞ booklet（小冊子）
> 日本語の「（名前に付ける）ちゃん」や接頭語「さ」なども指小辞です。

　　－2　親しみ、軽みを示す。……大门儿，上班儿

2）音声的には装飾であり、当初音曲に多用されたので、音声の柔軟化・美化効果があると考えられます。通常のソプラノに対するコロラチューラソプラノ、通常の東京方言の発音に対するベランメエ調に通じるものがあります。但し、アル化は「俗っぽい感じ」や「いかにも北京風という感じ」も与えるので、現在では規範的な話し方には多用しない傾向があります。音声の装飾的効果と相まって、舌の運動自体を快感に思う心理が働いているかも知れません。**R 系**と **ER 系**があります。

【R系①】

-a -ia -ua -e -o -uo -ao -iao -u -ou -ie -iu -üe

[r] と相性が良く、**そのまま [r] を付け**発音します。

ドリル127 🔊 159

アル化以前・以後の音声を（"把" と "把儿" のように）、音声をまねて発音してみましょう。

元の韻母	語例	実際の音声	元の韻母	語例	実際の音声	元の韻母	語例	実際の音声
-a	把儿 bàr	[bɑr⁵¹]	-o	膜儿 mór	[muər³⁵]	-u	数儿 shùr	[ʂur⁵¹]
-ia	价儿 jiàr	[tɕiɑr⁵¹]	-uo	锅儿 guōr	[kuər⁵⁵]	-ou	钩儿 gōur	[kəur⁵⁵]
-ua	爪儿 zhuǎr	[tʂuɑr²¹¹]	-ao	桃儿 táor	[t'ɑor³⁵]	-ie	叶儿 yèr	[iər⁵¹] ＊2
-e	歌儿 gēr	[kɤr⁵⁵] ＊1	-iao	窍儿 qiàor	[tɕ'iɑor⁵¹]	-iu	球儿 qiúr	[tɕ'iour³⁵]
						-üe	月儿 yuèr	[yər⁵¹] ＊2

[表5]

＊1：主母音を本格的な [ɤ] でやや長めに発音しましょう。[ə] で短めにすると根儿 gēnr[kər⁵⁵] と同じになってしまいます。

＊2：[ɛ] は口角をあまり横に引かない、緩んだ感じのエです。

【R系②】

| -ai -uai -an -ian -uan -üan -ei -en -u(e)i -u(e)n |

韻母末尾が脱落し、[r] をつけ発音します。

▽▽▽ ドリル128 🔊 **160**

アル化以前・以後の音声をまねて発音してみましょう。[表6]

元の韻母	語例	実際の音声	元の韻母	語例	実際の音声
-ai	孩儿 háir	[hɑr^{35}] ＊1	-üan	卷儿 juǎn	[tɕyar^{211}]
-uai	块儿 kuàir	[k'uɑr^{51}] ＊1	-ei	辈儿 bèir	[pər^{51}] ＊3 ＝ [pɚ^{51}]
-an	班儿 bānr	[par^{55}]	-en	门儿 ménr	[mər^{35}] ＊3 ＝ [mɚ^{35}]
-ian[ien]	馅儿 xiànr	[ɕiar^{51}] ＊2	-u(e)i	对儿 duìr	[tuər^{51}] ＝ [tuɚ^{51}]
-uan	团儿 tuánr	[t'uar^{35}]	-u(e)n	棍儿 gùnr	[kuər^{51}] ＝ [kuɚ^{51}]

＊1：hai kuai がアル化すると、「前舌の a」[a] が後ろの [r] に引っぱられ、「後舌の a」[ɑ] になります。

＊2：-ian（音節表2群の6列目）では脱落していた [ɑ] が、アル化により直前の [en] が脱落することでもどって来ます。

＊3：-ei がアル化する場合、元の [e] が [ə] に変化し [r] が付いて [ɚ] となります。-ei -en はともに [ɛr]（[ɛ] は口角をあまり引かない、緩んだ感じのエ）となることもあります。

【R系③】

| -ang -iang -ing -uang -eng -ong |

　アル化すると、-ng は脱落するというより韻母の鼻音化として現れます。
鼻音化の符号 [~] は主母音に付きますが鼻音化は音節全体に影響します。

▽▽▽ ドリル129 🔊 **161**

アル化以前・以後の音声を、録音をまねて発音してみましょう。

元の韻母	語例	実際の音声	元の韻母	語例	実際の音声
-ang	缸 gāngr	[kãr^{55}]	-uang	黄儿 huángr	[hoãr^{35}]
-iang	腔儿 qiāngr	[tɕ'iãr^{55}]	-eng	缝儿 fèngr	[fɐ̃^{51}]
			-ong	空儿 kòngr	[k'õr^{51}]

[表7]

－ 94 －

【ER 系①】

> -i（2群），-ü

[ɚ] と相性が良く、そのまま [ɚ] を付けて発音します。([r] と直結しにくいため、間に接着剤 [ə] が入ったと考えてもよいです。)

ドリル130 🔊 162

アル化以前・以後の音声をまねて発音してみましょう。

韻母	語例	実際の音声	韻母	語例	実際の音声
-i（2群）	皮儿 pír	[p'iɚ^{35}] *1	-ü	鱼儿 yúr	[yɚ^{35}] *1

[表8]

*1：元の主母音 [i:][y:] が担っていた上昇調は、アル化後 [iɚ][yɚ] が担うことになるため、[i][y] が介音に、[ɚ] が主母音になり、「軒を貸して母屋を取られる」形になるのが興味深いです。主母音の移動は4種の声調すべてで起こります。

【ER 系②】

> 1群 zi ci si zhi chi shi 　-in -ing -ün

[r] とも [ɚ] とも直接は相性が悪く、**韻母末尾が脱落し [ɚ] をつけて**発音。-ingr では ng は韻母の鼻音化として表れます。zi ci si zhi chi shi では、元の単母音 [ɿ][ʅ] がアル化後なくなり、[ɚ] だけになります。但し、zhi chi shi の場合、[ʅ] がそのまま残り R 系①のように、直接 [r] が付いて [tʂʅr55] [tʂʰʅr213] [ʂʅr51] となることもあります。表右側の韻母では、**ER 系①**と同様、アル化後主母音は [ɚ] に移動します。

ドリル131 🔊 163

アル化以前・以後の音声をまねて発音してみましょう。

音節	アル化語例	実際の音声	韻母	アル化語例	実際の音声
zi	字儿 zìr	[tsɚ^{51}]	-in	今儿 jīnr	[tɕiɚ^{55}] *1
ci	词儿 cír	[ts'ɚ^{35}]	-ing	领儿 lǐngr	[liɚ̃^{211}] *2
si	丝儿 sīr	[sɚ^{55}]	-ün	裙儿 qúnr	[tɕ'yɚ^{35}] *1
zhi	汁儿 zhīr	[tʂɚ^{55}][tʂʅr55]			
chi	齿儿 chǐr	[tʂ'ɚ^{213}][tʂʰʅr211]			
shi	事儿 shìr	[sɚ^{51}][ʂʅr51]			

[表9]

*1：今儿 jīnr と鸡儿 jīr はともに [tɕiɚ^{55}] になり、裙儿 qúnr と曲儿 qǔr は、声調は異なりますが同様の [tɕ'yɚ] となります。

*2：[ŋ] は鼻母音に変化します。鼻音化の符号 [~] は [ɚ] に付きますが、韻母全体が鼻音化します。

変調

中国語では各音節についている声調が、ある条件下で他の声調に変わることがあり、これを変調と言います。

1 "一 yī"の変調

1) "一 yī" 元々は**1声**ですが、**2声 yí** や **4声 yì** に変調します。単独の時、西暦の年号や電話番号の粒読み（一つ一つ読むこと)*¹する時、序数の末尾、量を表す2桁以上の数の末尾は…
　…**1声のまま。**
　（　）内に yī をあてはめて読んでみましょう。

（　）jiǔ bā liù nián　　（　）yuè（　）hào　　dì（　）cì　　（　）děng
　　一九八六年　　　　　　　　一月一号　　　　第一次　　　一等

dì（　）kè　　èrshi（　）hào *²　　sānshi（　　）suì
第一课　　　　二十一号　　　　　三十一岁

　＊1：粒読み、特に電話を通しての場合など、聞きまちがいを防ぐために、"一" を yāo "幺"、"二" を liǎng "两"、"七" を guǎi "拐"、"零" を dòng "洞" ということがあります。
　＊2：èr（二）の発音は、中国では大体 àr になることが多く、しかもほとんどの場合、直前に声門閉鎖 [ʔ] が付きます。

2）…1）を除き、**次が4声または元4声の場合、2声に変調。**（　）内に yí をあてはめて読んでみましょう。

（　）lù　　　（　）kàn　　（　）suì　　（　）ge　　　（　）lǜ
　一路　　　　一看　　　　一岁　　　　一个　　　　一律

3）…1）を除き、**次が1、2、3声の場合、4声に変調。**（　）内に yì をあてはめて読んでみましょう。

（　）kāi　　（　）tiān　　（　）qí　　（　）lián　　（　）chǎng　　（　）bǎ
　一开　　　　一天　　　　一齐　　　一连　　　　一场　　　　一把

ドリル132 🔊 164

前ページのどれに当たるか考えて、読んでみましょう。少し遅れて正解が出ます。

èr líng ( ) bā nián　　( ) mú ( ) yàng　　( ) bǐ ( ) huà　　( ) jiā ( )hù
　　二〇一八年　　　　　　一模一样　　　　　　一笔一划　　　　　一家一户

shí ( ) yuè　　( ) xīn ( ) yì　　( ) wèn ( ) dá　　( ) lěng ( ) rè
　　十一月　　　　　一心一意　　　　　一问一答　　　　　一冷一热

2　"不 bù" ……元々4声ですが、2声 bú に変調することがあります。

1）単独の時、または次が1、2、3、軽声だとそのまま4声。（　）内に bù を当てはめて読んでみましょう。

（　）gāoxìng　　（　）fā　　（　）xíng　　（　）fúqi
　不高兴　　　　不发　　　不行　　　不服气

（　）hǎo　　（　）dǒng　　（　）guǎn
　不好　　　　不懂　　　　不管

2）次が4声か元4声だと2声に変調。（　）内に bú を当てはめて読んでみましょう。
（　）kàn　　（　）huì　　（　）guò　　（　）dào　　（　）shi
　不看　　　　不会　　　不过（接続詞）　不到　　　　不是

ドリル133 🔊 165

上記のどれに当たるか考えて、読んでみましょう。少し遅れて正解が出ます。

（　）lěng（　）rè　　（　）cháng（　）duǎn　　（　）dà（　）xiǎo
　不冷不热　　　　　　不长不短　　　　　不大不小

（　）yuǎn（　）jìn　　（　）pàng（　）shòu　　（　）chī（　）hē
　不远不近　　　　　　不胖不瘦　　　　　不吃不喝

（　）zhī（　）jué　　（　）shuō（　）xiào　　（　）jiàn（　）sàn
　不知不觉　　　　　　不说不笑　　　　　不见不散

3 ３声が続く時、前の３声が２声に変調します。

３声が２声化した場合、元々２声であるものより　音域は低めで、調値でいうと２４くらいです。
３声の名残と考えられます。

1）３声が二つ

【例31】🔊 166

你好！Nǐ hǎo! → Ní hǎo!　　水果 shuǐguǒ → shuíguǒ

＊３声＋元３声の場合、変調が残り、２声＋軽声になることがあります。

hǎi / li（海里）→ hái / li　　kě / yi（可以）→ ké / yi

2）３声が三つ

2）-1　３＋３＋３→２２３　あるいは　３２３（場合により異なる）

【例32】🔊 167

我也好。Wǒ yě hǎo.　→ Wó yé hǎo.　　Wǒ yé hǎo.

我管你。Wǒ guǎn nǐ. → Wó guán nǐ.　　Wǒ guán nǐ.

一九九九年 yī jiǔ jiǔ jiǔ nián → yī jiú jiú jiǔ nián

yī jiǔ jiú jiǔ nián

2）-2　３＋３・３（・は緊密なつながり）→３２３

【例33】🔊 168

纸老虎 zhǐ lǎohǔ → zhǐ láohǔ

李厂长 Lǐ chǎngzhǎng → Lǐ chángzhǎng

有几口人？Yǒu jǐkǒu rén? → Yǒu jíkǒu rén?

2）-3　３・３＋３→２２３

【例34】🔊 169

展览馆 zhǎnlǎn guǎn → zhánlán guǎn

手表厂 shǒubiǎo chǎng → shóubiáo chǎng

洗脚水 xǐjiǎo shuǐ → xíjiáo shuǐ

3）３声が四つ→２３２３でも２２２３でも可。

【例35】🔊 170

我也很好。Wǒ yě hěn hǎo. → Wó yě hén hǎo.　　Wó yé hén hǎo.

音節同士のつながり

日本語でも外国語でも音を単独で発音した場合と、連続して発音した場合とでは、発音が異なることがあります。たとえば日本語では、「反（はん）＋応（おう）」を「はんのう」と発音するし、さらに「寛大（かんだい）」「巻末（かんまつ）」「感慨（かんがい）」で、「ん」はそれぞれ [n][m][ŋ] と発音されます。英語では "Give me." を "Gimme." と発音することがあります。こうした現象は「同化」と呼ばれます。「反応（はんのう）」は「お」が先行の「ん」の影響を受けて発生するし（順行同化）、「寛大」「巻末」「感慨」"Gimme." は先行の音が後続の音の影響を受けて発生します（逆行同化）。「同化」は音声言語を使う時、非常に多く出現します。

中国語でも同化現象がありますが、適切な場合と、日本人学習者が母語である日本語の干渉を受けて陥ってしまう不適切な場合があります。その２種について説明します。

1　中国語音節間の正常適切な同化

たとえば、"面包 miànbāo" は第１音節末鼻音 [n] が、第２音節頭子音 [p] と同じ調音部位の鼻音の [m] に、"很好 hěn hǎo" は第１音節末鼻音 [n] が、第２音節頭子音 [h] と同じ調音部位の鼻音の [ŋ] に変化し、"什么 shénme" の第１音節末鼻音 [n] は、第２音節頭子音 [m] に完全に同化します。こうしたことから、基本的に b m p に先行する -en -an -ian -uan -üan の n[n] は [m] に変化すると考えられます。逆行同化です。

【例36】 🔊 171

奔马　南部　羡慕　关闭　全盘

また g k h に先行する -en -an、-ian、-uan の [n] は [ŋ] に変化すると考えられます。

【例37】 🔊 172

很好　三个　暖和　面孔

しかし、重要なことは、第一音節末尾鼻音が変化しても**その直前の母音は基本的には変化しない**点です。このため "三个" の "三 [saŋ⁵⁵]" は "桑 [saŋ⁵⁵]" と明確に区別できますし、また "暖和" の "暖 [nuan²¹¹]" は対立する音 [nuaŋ²¹¹] と区別できます（実際のこの音はありませんが）。このため元の音および字を正確に認識できるのです。

こうした同化は通常の会話の時に発生し、綴り通りに発音するとかえって不自然に聞こえてしまいます。しかし、速度の遅い朗唱や、たとえ会話であっても "很好 hěn hǎo" などで "很 hěn" を強調する場合は "很 hěn" が g k h で始まる音節の前であっても、やはり [hɤɛn²¹¹] と発音します。

2　日本人学習者が中国語を発音する時に生ずる音節間の不適切な同化

　1で述べた会話などの際の音節間同化は正常適切であり、そうでないと不自然に響きます。しかし、日本人学習者には次のような不適切な同化が見られます。ここでは後述する2－4）を除き、単独音は正しく習得していることを前提とします。

1）-an が g k h に先行する場合、[aŋ]で発出してしまうのは不適切です。[ŋ]自体は問題ないですが、日本人学習者は多くの場合、「前舌のa」[a]が不得意で、そのため -an のaが後舌のa[ɑ]になってしまうのは不適切です。

　例38は左側の語を発音しようとして、1音節目の末尾が不適切な音になってしまう例です。ひと組ずつ音声を聞き比べてください。適切な音と不適切な音の組み合わせです。

【例38】 🔊 173

語例	適切な音	不適切な音	聞きまちがえられる可能性
1）办公	[paŋ⁵¹]	[pɑŋ⁵¹]	谤公
2）参观	[tsʻaŋ⁵⁵]	[tsʻɑŋ⁵⁵]	仓观
3）干旱	[kaŋ⁵⁵]	[kɑŋ⁵⁵]	刚旱
4）感慨	[kaŋ²⁴]	[kɑŋ²⁴]	港慨
5）乱开	[luaŋ⁵¹]	[luɑŋ⁵¹]	該当語なし
6）蛮好	[maŋ³⁵]	[mɑŋ³⁵]	忙好
7）难关	[naŋ³⁵]	[nɑŋ³⁵]	囊关
8）三个	[saŋ⁵⁵]	[sɑŋ⁵⁵]	桑个
9）散开	[saŋ⁵¹]	[sɑŋ⁵¹]	丧开
10）谈过	[tʻaŋ³⁵]	[tʻɑŋ³⁵]	堂过
11）专科	[tʂluaŋ⁵⁵]	[tʂluɑŋ⁵⁵]	装科

[表10]

　但し、「前舌のa」[a]が出ていれば同化しない[-an]でも十分で、そう発音することもあります。学習者にはこちらの方が容易かもしれません。何しろ[-ɑŋ]にならないようにしましょう。
　また、-in が g k h に先行する場合、やはり「鋭いイー」[i]が「緩いイ」[ɪ]になってしまう同類の問題があり、日本語ネイティブは元々「鋭いイー」[i]ができないことが多いのでこれも難題です。

2）-ng[ŋ]が、舌尖から前舌にかけての部分が口蓋と閉鎖や狭窄を作る子音、c ch d j l n r s sh t z zh に先行する場合、[ŋ]でなく[n]かその近似音で発出してしまうと不適切です。次の例39の音声を一組ずつ聞き比べてみましょう。適切な音と不適切な音の組み合わせです。

【例39】 🔊 174

語例	適切な音	不適切な音	聞きまちがえられる可能性
1）精彩	[tɕɪŋ⁵⁵]	[tɕɪn⁵⁵]	金彩
2）工厂	[kuŋ⁵⁵]	[kun⁵⁵]	該当語なし
3）当代	[taŋ⁵⁵]	[tan⁵⁵]	单代
4）顶级	[tɪŋ²¹¹]	[tɪn²¹¹]	該当語なし
5）行李	[ɕɪŋ³⁵]	[ɕɪn³⁵]	镡李
6）工农	[kuŋ⁵⁵]	[kun⁵⁵]	該当語なし
7）当然	[taŋ⁵⁵]	[tan⁵⁵]	单然
8）公司	[kuŋ⁵⁵]	[kun⁵⁵]	該当語なし
9）当时	[taŋ⁵⁵]	[tan⁵⁵]	单时
10）明天	[mɪŋ³⁵]	[mɪn³⁵]	民天
11）镜子	[tɕɪŋ⁵¹]	[tɕɪn⁵¹]	近子
12）帮助	[pɑŋ⁵⁵]	[pɑn⁵⁵]	班助

［表11］

3）-ng が、両唇音 b m p に先行する場合、[ŋ]でなく[m]で発してしまうと不適切です。この現象は2－1）や2－2）ほど多くないです。また、「後舌の a」[ɑ]は日本人学習者には発音しにくい音で、あまり口の奥を大きく開けない「軽いア」[ʌ]や「あいまいなア」[ə]になりやすいので、そうならないよう気をつけましょう。例40の音声を一組ずつ（適切な音と不適切な音）聞き比べてください。

【例40】 🔊 175

語例	適切な音	不適切な音	聞きまちがえられる可能性
1）上班	[ʂaŋ⁵¹]	[ʂam⁵¹]	善班
2）广播	[kuaŋ²¹¹]	[kuam²¹¹]	管播
3）经贸	[tɕɪŋ⁵⁵]	[tɕɪm⁵⁵]	金贸
4）钢笔	[kaŋ⁵⁵]	[kam⁵⁵]	干笔
5）农民	[nuŋ³⁵]	[num³⁵]	該当語なし
6）名片	[mɪŋ³⁵]	[mɪm³⁵]	民片
7）明白	[mɪŋ³⁵]	[mɪm³⁵]	民白
8）公布	[kuŋ⁵⁵]	[kum⁵⁵]	該当語なし
9）方面	[faŋ⁵⁵]	[fam⁵⁵]	翻面

［表12］

上記１）、２）、３）については、日本語「ん」の後続子音による同化に倣って誤用してしまっていることがその原因と考えられます。

４）zhi chi shi ri の次に、[j]で始まる音節か、[i]か[ɿ]を最初の母音とする音節が来る時、しばしば先行音節内の早い時点で、[i]か[ɿ]またはその近似音が出てしまう不適切な現象があります。すなわち[ʅ]が崩れるのです。このタイプは大変多いです。例の音声（適と不適）を聞いてください。

【例41】 🔊 176

　只有　只要　致意　吃惊　十一　時期　日期

　このような不適切な発音が発生するのは、例のような２音節の場合、第１音節調音時に、それに続く第２音節の[j]　[i]　[ɿ]の準備を早めにしようとして、呼気を弱めてしまったり、口角を左右に引いてしまったりする結果、舌が口蓋から離れ前舌中央が硬口蓋に向かって上昇したりすることにより、上記のどれかに近似する音を出してしまうことが原因と考えられます。zhi chi shi ri が単独音の時でも、ji qi xi などで始まる音節と同様すぐに[i]、[ɿ]を発音する学習者もいるので、この４種の音は「子音と母音が両立混在して響く音」「この -i はおまけについてくるのでことさら発音しようとしないこと」をしっかり理解した上で、基礎的練習を行なう必要があります（そり舌音の項目を再度参照してください）。単に舌が口蓋から一部離れるだけなら[ʅ]を維持でき、またある程度呼気があれば、弱いながら摩擦音も持続して、そり舌音の特色を維持できるのですが、早めに口角を左右に引いてしまうと必ずと言っていいほどzhi chi shi ri の母音[ʅ]が崩れてしまうので注意を要します。

3　音節間の不適切な同化をどう予防・矯正するか

１）知識で予防・矯正しましょう。

　この章の冒頭で出てきた日本語「ん」の同化の例を思い出してください。中国語各子音の調音部位を知ることで、発生するかもしれない不適切な同化を予防します。

２）実技面から予防・矯正しましょう。

　２－２）と２－３）の場合、一般に単独でも学習者の音節末鼻音の発出タイミングは遅いことが多いので、早めに鼻音を発出すれば、音節内で鼻音が早期に表れ持続時間も長くなるためその特色が明瞭となります。また早めに鼻音を発した方が、気分的に余裕が出ます。音声を聞いてください。

【例42】 🔊 177

　　悪い例　xī - - - - - -ng
　　良い例　xī - - ng - - -

3）2-4）の zhi chi shi ri を発する時、口の構えを崩さないように努め、なるべく声（有声母音）を抑えて子音を長い時間維持しましょう。ri の r は有声摩擦音なので特に呼気を強く発するようにしましょう。

4）zhi chi shi ri が先行して、第2音節が [iː]（鋭いイー）の場合（例：十一 致意）、第2音節直前で声門閉鎖音 [ʔ] を挿入すると、音節の境界を際立たせられるので、前の音節に十分な時間を割くことができ不適切な同化（崩れ）の予防に役立ちます。

参考文献 （アルファベット順・中国人名はピンインによる）

服部四郎（1962）:『岩波全書131　音声学』。東京：岩波書店。

国立国語研究所（1990）:『国立国語研究所報告100　日本語の母音、子音、音節―調音運動の実験音声学的研究―』。東京：（株）秀英出版。

Ladefoged, P.（1982）：A Course in Phonetics(2nd ed.).　New York: Harcourt Brace Jovanovich.

松本洋子（2012）:『日本語母語話者に対する中国語発音教育の理論と実践』。東京：早稲田大学出版部。

周殿福　吴宗济（1963）:『普通话发音图谱』。北京：商务印书馆。

朱川主编（1997）:『外国学生汉语语音学习对策』。北京：语文出版社。

著者：松本洋子 (まつもと　ようこ)

1975年　東京外国語大学中国語学科卒業
　　　　同年から翌年にかけシンガポール南洋大学語言中心マンダリ
　　　　ンコースに留学
　　　　商社勤務後、1990年代から英語および中国語翻訳などの傍
　　　　ら、外務省研修所、都内の大学などで中国語講師をつとめる
2005年　早稲田大学大学院文学研究科修士課程修了
2008年　同博士後期課程満期退学
2011年　文学博士取得

中国語の発音教育を主要テーマとして研究している

メカニズムで学ぶ中国語の発音

2020年 10月 30日　　初版発行

■著者　　　　松本洋子

■発行者　　　尾方敏裕

■発行所　　　株式会社 好文出版
　　　　　　　〒162-0041　東京都新宿区早稲田鶴巻町540　　林ビル3F
　　　　　　　Tel.03-5273-2739　　Fax.03-5273-2740
　　　　　　　http://www.kohbun.co.jp/

【音節表】

群種別	1群															2群										3群								4群			
行番号	1	2	3	4	5	6	7	8	9	10	11	12	13	14	15	16	17	18	19	20	21	22	23	24	25	26	27	28	29	30	31	32	33	34	35	36	37
母音組合せとIPA → / 段番号↓ 子音とIPA↓	a [ɑː]	o [uɔɔ]	e [ɤɤ][ɣː]	-i⁽¹⁾ [ɿː]	-i⁽²⁾ [ʅː]	er [ɚ]	ai [ai]	ei [ei]	ao [ɑu]	ou [əu]	an [an]	en [ən]	ang [ɑŋ]	eng [əŋ]	ong [uŋ]	i [iː]	ia [ia]	iao [iau]	ie [ie]	iou [iəu]	ian [iɛn]	in [in]	iang [iɑŋ]	ing [iŋ]	iong [yuŋ]	u [uː]	ua [ua]	uo [uɔ]	uai [uai]	uei [uəi]	uan [uan]	uen [uən]	uang [uɑŋ]	ü [yː]	üe [yɛ]	üan [yan]	ün [yⁱn]
1 b[p]	ba	bo					bai	bei	bao		ban	ben	bang	beng		bi		biao	bie		bian	bin		bing		bu											
2 p[p']	pa	po					pai	pei	pao	pou	pan	pen	pang	peng		pi		piao	pie		pian	pin		ping		pu											
3 m[m]	ma	mo	me				mai	mei	mao	mou	man	men	mang	meng		mi		miao	mie	miu	mian	min		ming		mu											
4 f[f]	fa	fo						fei		fou	fan	fen	fang	feng												fu											
5 d[t]	da		de				dai	dei	dao	dou	dan	den	dang	deng	dong	di		diao	die	diu	dian			ding		du		duo		dui	duan	dun					
6 t[t']	ta		te				tai		tao	tou	tan		tang	teng	tong	ti		tiao	tie		tian			ting		tu		tuo		tui	tuan	tun					
7 n[n]	na		ne				nai	nei	nao	nou	nan	nen	nang	neng	nong	ni		niao	nie	niu	nian	nin	niang	ning		nu		nuo			nuan			nü	nüe		
8 l[l]	la	lo[lo]	le				lai	lei	lao	lou	lan		lang	leng	long	li	lia	liao	lie	liu	lian	lin	liang	ling		lu		luo			luan	lun		lü	lüe		
9 z[ts]	za		ze	zi			zai	zei	zao	zou	zan	zen	zang	zeng	zong											zu		zuo		zui	zuan	zun					
10 c[ts']	ca		ce	ci			cai		cao	cou	can	cen	cang	ceng	cong											cu		cuo		cui	cuan	cun					
11 s[s]	sa		se	si			sai		sao	sou	san	sen	sang	seng	song											su		suo		sui	suan	sun					
12 zh[tʂ]	zha		zhe		zhi		zhai	zhei	zhao	zhou	zhan	zhen	zhang	zheng	zhong											zhu	zhua	zhuo	zhuai	zhui	zhuan	zhun	zhuang				
13 ch[tʂ']	cha		che		chi		chai		chao	chou	chan	chen	chang	cheng	chong											chu	chua	chuo	chuai	chui	chuan	chun	chuang				
14 sh[ʂ]	sha		she		shi		shai	shei	shao	shou	shan	shen	shang	sheng												shu	shua	shuo	shuai	shui	shuan	shun	shuang				
15 r[ʐ]	ra		re		ri				rao	rou	ran	ren	rang	reng	rong											ru		ruo		rui	ruan	run					
16 j[tɕ]																ji	jia	jiao	jie	jiu	jian	jin	jiang	jing	jiong									ju	jue	juan	jun
17 q[tɕ']																qi	qia	qiao	qie	qiu	qian	qin	qiang	qing	qiong									qu	que	quan	qun
18 x[ɕ]																xi	xia	xiao	xie	xiu	xian	xin	xiang	xing	xiong									xu	xue	xuan	xun
19 g[k]	ga		ge				gai	gei	gao	gou	gan	gen	gang	geng	gong											gu	gua	guo	guai	gui	guan	gun	guang				
20 k[k']	ka		ke				kai	kei	kao	kou	kan	ken	kang	keng	kong											ku	kua	kuo	kuai	kui	kuan	kun	kuang				
21 h[h]	ha		he				hai	hei	hao	hou	han	hen	hang	heng	hong											hu	hua	huo	huai	hui	huan	hun	huang(o)				
22 w(半子音)[w]	wa	wo					wai	wei			wan	wen	wang	weng																							
23 y(半子音)[j]	ya	yo[jo]					yao	you					yang		yong				ye[je]																		
24 声母ゼロ	a	o[ɔ]	e			er	ai	ei	ao	ou	an	en	ang	eng		yi			ye[ie]		yan	yin	(yang)[ijaŋ]	ying	(yong)	wu								yu	yue	yuan	yun